D0682160

TONY,
LA VICTOIRE
D'UN ENFANT
AUTISTE

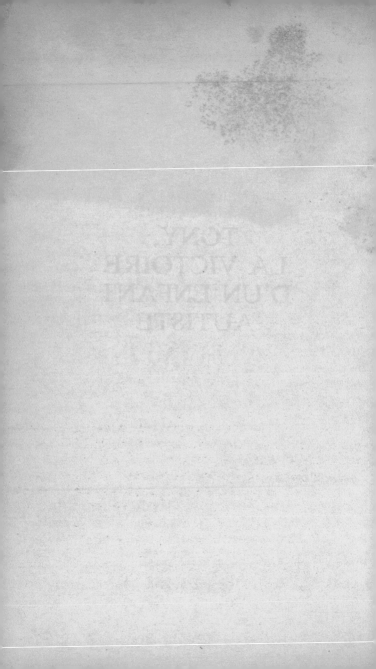

MARY CALLAHAN

TONY, LA VICTOIRE D'UN ENFANT AUTISTE

Titre original de l'ouvrage
Fighting for Tony

First published in the USA
by Simon Shuster/Fireside Books

Traduit de l'américain
par Thierry Arson

ISBN : 2-266-05055-9

Pour Victor, Suzy et Carson, avec l'espoir que leur histoire ait un dénouement aussi heureux.

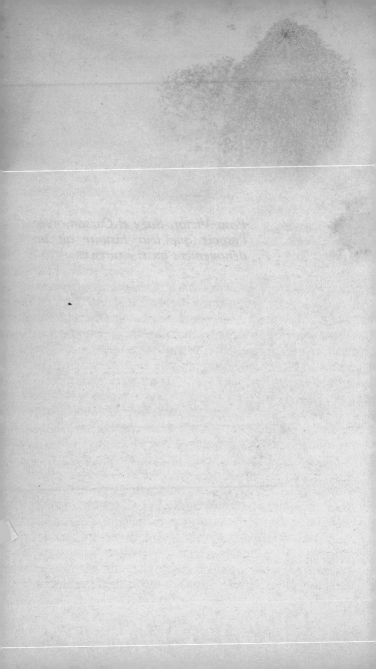

PROLOGUE ET REMERCIEMENTS

Pour moi, *Tony, enfant autiste* est l'histoire de deux relations : une entre deux enfants, l'autre entre deux adultes — toutes deux affectées par les symptômes et le diagnostic de l'autisme. Les enfants — mes enfants — étaient alors trop jeunes dans ce monde pour avoir une idée de ce qu'ils étaient en droit d'attendre de la vie. Renée ne voyait aucune anomalie chez son frère Tony, assis dans son coin quand il restait à se balancer. Son comportement n'avait pour elle rien de bizarre. Il rendait juste les jeux avec lui un peu plus stimulants. Tony adorait Renée au point que seule la voix de sa sœur perçait le brouhaha dans son esprit.

Les adultes de cette histoire — mon mari, Rich, et moi-même — n'étaient pas aussi jeunes et innocents. Nous avions, nous, quelque idée des joies que nous pouvions espérer de la vie et de nos enfants, et nous fûmes profondément choqués lorsqu'on nous annonça que « Tony aurait toujours besoin de quelqu'un auprès de lui ». De par son caractère logique et prévisible, la détérioration de notre couple tient une part importante dans cette histoire. A en croire les émissions de télévision sur ce sujet, un problème aussi aigu chez un des enfants resserre les liens des parents. Etant mère et devant faire face à un problème grave, je me mesurai aux exemples donnés par la télévision, et je ne m'en sentis que plus inférieure. Je comparai aussi mon mari aux maris cités, et je fus encore plus déçue. Un jour, je lus une statistique démontrant que les parents d'enfants handicapés divorcent neuf fois plus que les autres. Je compris alors Rich et moi étions un couple normal, car nous avions déjà divorcé.

A présent nous nous sommes remariés et nous sommes dans une situation exceptionnelle : nous ne vivons plus avec un fils handicapé, non parce qu'il est mort ou a été confié à un établissement spécialisé mais parce que Tony a guéri d'une condition réputée incurable. Nous pouvons maintenant considérer toutes les épreuves que notre couple a traversées avec une objectivité qui nous serait impossible si Tony était toujours autiste. Nous espérons que nos idées bénéficieront à d'autres parents — simples êtres humains comme nous, ni saints ni héros — si une crise dans leur foyer fait ressortir le pire au lieu du meilleur. Prenez exemple sur nous, et non sur des personnages de fiction, et il vous sera peut-être plus aisé d'être compréhensifs. Pour un enfant handicapé, l'existence est assez dure sans qu'il ait à subir l'épreuve supplémentaire de la rupture du couple parental.

Une autre raison qui m'a poussée à la rédaction de ce livre est mon besoin de remercier quelques personnes réellement extraordinaires. On dit souvent que c'est dans l'épreuve qu'on découvre ses véritables amis, et on le dit presque toujours dans une optique négative, en sous-entendant que la plupart des « amis » vous lâchent en chemin. J'eus quant à moi le bonheur de trouver chez des gens très divers l'inappréciable réconfort de leurs conseils et de leur aide. Dès qu'elle m'entendait renifler à l'autre bout du fil, Janeen Kirk Taylor abandonnait son activité en cours, quelle qu'elle soit, pour me remonter le moral, et c'est arrivé si souvent que j'en ai presque honte. Elle a montré une incroyable compréhension et a su toujours me dire ce que j'avais besoin d'entendre pour ne pas céder au désespoir. Et elle n'a pas changé. Merci, Janeen.

Le Dr Bill Christensen, qui est mon patron, a paru faire de ma bonne santé mentale un objectif personnel. Je crois que vous avez réussi, Bill. Merci.

Mes amis à la garderie ont accepté et aimé Tony et sa mère avec une chaleur que jamais je n'aurais osé espérer. C'est grâce à eux que j'ai tant de bons souvenirs mêlés aux mauvais durant ces années où Tony et Renée étaient en bas âge. Merci à vous, Pat Willis, Linda Warfield, Jules Tripp, Aloha Schneider et Peggy Boyle.

Les professeurs de Tony à la Congregational Preschool l'ont aimé même quand cela paraissait impossible. Des gens de cette qualité sont rares. Merci du fond du cœur, Margaret Bartlett, Ann Cardillo, Jeanice Jansen, Pam Lynn, Betty Sporleder, Gayle Thiele et Joyce Watson.

Peggy Helvie a été la seule baby-sitter à accueillir Tony d'un sourire et d'une embrassade au lieu de soupirer en consultant sa montre. Merci, Peggy, de n'avoir jamais pensé qu'il y avait quoi que ce soit d'anormal en lui.

Bill McGlothing n'a pas été le premier à me dire : « Tu devrais écrire un livre », il a été le premier à affirmer : « Je sais que tu peux le faire. » Et il m'a enseigné comment le faire ! Mary Lou

Horcasitas a enduré la torture de dactylographier mon manuscrit tout en élevant sa famille et en conservant son emploi à plein temps. Merci, Bill et Mary Lou.

Enfin la personne qui mérite le plus d'admiration et de remerciements est mon mari, Rich. Cette histoire l'implique tellement et de manière si souvent peu flatteuse, que je sais tout le courage et l'abnégation qu'il lui a fallu pour accepter sa publication. Tony, Renée et moi avons beaucoup de chance de t'avoir. Et en parlant de Tony et de Renée, je veux vous remercier d'être tels que vous êtes, mes enfants chéris. Vous êtes les meilleurs.

CHAPITRE 1

Je ressentis ma première contraction lors du générique d'ouverture de *The Goodbye Girl*. Nous venions de nous installer à nos places, mon mari Rich, moi et nos amis Jim et Janet quand je compris que les sièges du cinéma ne pouvaient seuls expliquer mon inconfort. La comédie de Neil Simon était très drôle, mais toutes les quatre minutes je cessais de rire pour serrer les dents, tandis qu'une vague de contractions déferlait dans mon dos, mon ventre et l'intérieur de mes cuisses. Il n'y avait pourtant aucune raison d'alarmer les autres. Dans les cours de la méthode Lamaze, nous avions appris que les premières douleurs durent en moyenne entre huit et douze heures, et une séance de cinéma semblait un excellent dérivatif pour passer les deux premières. Alors que le générique de fin défilait sur l'écran, je me tournai vers mon mari et lui dit :

— Je crois que ça a commencé.

A ce moment précis, je perdis mes eaux.

J'eus alors la certitude d'être entrée dans la phase de travail. Les contractions brutales se succédaient à un rythme rapide. Nous devions présenter un tableau assez original, les trois autres me traînant hors du cinéma pendant que j'essayais de supporter chaque contraction en m'appuyant contre le mur afin de pratiquer la respiration Lamaze...

J'entrai à l'hôpital à dix heures, et le bébé naquit à onze heures douze. On pourrait presque dire que sa naissance n'eut rien de remarquable, mais ce serait bien évidemment assez contradictoire. Durant une accalmie des contractions, je fis remarquer à Rich que nous allions avoir une fille, très certainement.

— Oh ? fit-il, sourcils haussés par l'étonnement.

— Sinon pourquoi serais-je entrée en travail pendant la projection de *The Goodbye Girl* ?

Lorsque je ne suis pas enceinte je fais preuve d'un grand pragmatisme, et je ne m'abandonne pas à des raisonnements aussi singuliers. Mais sous l'empire des hormones de la grossesse, je vois partout des présages et des messages secrets venus de l'enfant à naître. Le compteur kilométrique de ma voiture me donnera le poids du bébé, ou un bulletin météorologique prédira sa date de naissance. Etre entrée en labeur durant *The Goodbye Girl* était un signe impossible à ignorer : ce serait une fille.

Quelques minutes plus tard, le médecin annonça :

— C'est un garçon !

J'étais trop occupée pour noter la fausseté du présage de Neil Simon. Plus tard, alors que je reposai seule sur une couche dans la salle de repos, cette idée me traversa l'esprit. J'en déduisis que le message inhérent au film concernait autre chose que le sexe du bébé. Le mot *Girl* (jeune fille) du titre ? Peut-être signifiait-il l'adieu que je venais de sceller envers ma propre enfance. La naissance de mon premier enfant ouvrait une nouvelle phase de ma vie, et l'image que j'avais pu avoir de moi-même en tant que jeune fille, frivole et insouciante, s'estompait rapidement.

Non que j'aie été à l'époque une véritable jeune fille, ou particulièrement frivole. Plutôt le contraire d'ailleurs. J'étais une femme de vingt-sept ans sérieuse qui interrompait une brillante carrière pour avoir un bébé. En qualité d'unique infirmière spécialiste de pneumologie dans tout l'Etat du Nouveau-Mexique, j'avais passé des années à la Lung Association, à développer des programmes pour les patients atteints de troubles pulmonaires, et j'avais sillonné tout l'Etat pour propager nos résultats dans les plus grands hôpitaux ou cliniques. Je donnais des conférences sur des sujets tels que « L'asthme et l'enfant en âge scolaire », et j'étais même questionnée pour des chaînes de télévision chaque fois qu'un changement dans la législation sur le tabac faisait la une de l'actualité. J'étais quelqu'un d'important dans un milieu très restreint.

J'adorais mon travail et j'étais fière de mes résultats, et pourtant ce n'était pas ce que j'avais rêvé d'accomplir avant mes trente ans. Je suis issue d'une famille nombreuse, traditionnelle, et j'avais toujours pensé qu'un jour je créerais la mienne à cette image. Mon père était et est toujours ingénieur électricien, ce qui lui rapportait juste assez pour nourrir et vêtir huit enfants. Ma mère restait à la maison pour élever les enfants, et elle prit tellement goût à ce rôle qu'elle devint nourrice professionnelle. Mes parents devinrent parents adoptifs reconnus et, durant quinze ans, s'occupèrent de plus de trente enfants. Etant la fille aînée d'une famille aussi nombreuse, j'acquis les premiers rudiments des responsabilités de mère dès l'âge de quatre ans. Je ne m'en plaignais pas. J'adorais cela. Je me souviens encore de mon excitation quand je changeai pour la première fois les couches d'un bébé. J'avais six ans.

Pour moi, être infirmière revenait un peu à materner les malades, et ce choix de carrière s'imposa naturellement. Jeune fille je commençai par m'occuper des œuvres de bienfaisance dans les hôpitaux, puis je passai aide-infirmière et finalement, à dix-huit ans, je commençai mes études pour devenir infirmière. Mais mon rêve n'était pas de devenir infirmière spécialiste en pneumologie : j'étais entrée à la Michael Reese School of Nursing afin d'aider mon futur mari à subvenir aux besoins de notre famille en faisant quelques gardes par semaine.

Michael Reese était une école d'infirmières à l'ancienne mode, où toutes les étudiantes étaient internes de l'établissement et tous les cours ne concernaient que la carrière d'infirmières. Nous vivions dans un monde à part. C'étaient pourtant les années soixante, avec toutes leurs turbulences, mais je me sentais très lointaine des émeutes universitaires et de la guerre du Vietnam. Les cours et les emplois à mi-temps pour les payer m'accaparaient tant que je participais à peine aux événements qui marquèrent ma génération. J'étais tellement peu au fait de ce qui se passait au-dehors que je n'entendis parler de Woodstock qu'à la sortie du film en salles.

En 1972, j'obtins mon diplôme d'infirmière, et par la même occasion atteignis un de mes deux buts. Je n'étais pas mariée, ni même fiancée, ce qui à cette époque était un peu gênant. Ma mère commentait mon état avec subtilité :

— J'espérais que tu épouserais un Irlandais

catholique. Maintenant je serais heureuse si tu décidais d'épouser Godzilla, mais pour cela il faudrait que tu acceptes de te marier...

Mais toutes mes relations avec des hommes semblaient s'auto-détruire dans un délai maximum de trois mois, et un an plus tard je repris mes études à la Northwestern University où je me spécialisai en pneumologie.

Pendant ce temps mes frères et mes sœurs se laissaient pousser les cheveux, vivaient en communauté et participaient à des manifestations de protestation ou de revendication. J'étais la seule à qui les bonnes sœurs avaient réussi à inculquer l'idée que si je déviais du droit chemin je serais immanquablement punie. Cette peur fut renforcée par le décès de ma sœur dans un accident de voiture, après une nuit blanche de fête. Néanmoins, dans le clan Callahan j'étais l'Ennuyeuse. Les cours, le travail et les rendez-vous avec des jeunes gens guindés étaient à peu près mes seuls sujets de conversation.

Le seul souffle de poésie qui m'habitait était la façon dont je tombais amoureuse. Cela ne m'arrivait pas souvent, mais quand c'était le cas cela ressemblait à cette scène dans *Le Parrain*, quand Michael est « frappé par la foudre ». Pour moi, s'engager envers quelqu'un qu'on ne connaît pratiquement pas représentait l'aventure ultime. Rich Randazzo entra dans mon existence peu après que j'eus déménagé au Nouveau-Mexique, en 1975. J'étais allée rendre visite à mon amie Linda par un dimanche après-midi, et elle m'annonça que son ami allait venir, accompagné de son compagnon de chambre. Je protestai d'être ainsi bousculée, mais je fus déçue lorsque Phil arriva seul. Il semblait que son compagnon de chambre n'aimait pas non plus qu'on lui force la main et qu'il avait préféré aller faire une lessive plutôt que ma connaissance. Par chance, quand il se rendit à la laverie automatique toutes les machines étaient prises. Dix minutes après l'arrivée de Phil, un homme mince et grand, aux cheveux noirs et bouclés passa devant la fenêtre panoramique de Linda pour aller sonner à sa porte d'entrée. Avant même qu'il ne pénètre dans la maison, j'étais amoureuse de lui. J'en sus plus sur lui avec le temps, mais dès cet instant je savais que je l'aimerais et que je resterais avec lui quoi que je doive découvrir sur son compte. Je venais de succomber à un coup de foudre très classique. Heureusement, Rich était intelligent, drôle et talentueux. Et chance supplémentaire, il tomba amoureux de moi. Tout paraissait parfait. Quand je disais à Rich qu'il était l'homme parfait, il grimaçait et rétorquait d'un ton geignard :

— Tu places la barre trop haut pour moi. Je ne suis *pas* parfait.

Il n'était peut-être pas parfait, mais il convenait parfaitement à mon attente, ou presque.

Il avait grandi dans une banlieue de New York très semblable à celle de Chicago où j'avais moi-même passé mon enfance. Bien que moins nombreuse que la mienne, sa famille était également catholique et traditionnelle. Ses grands-parents étaient des émigrés de Sicile, et son père était professeur. Rich avait hérité du don familial pour la musique, tout comme j'avais hérité de la mélomanie de mes parents. Un peu secrètement, j'avais même nourri une certaine attirance pour les musiciens. Mon premier béguin avait été pour un musicien italien aux cheveux noirs et bouclés nommé Dion, du groupe *Dion and the Belmonts*.

Comme moi, Rich était venu au Nouveau-

Mexique pour échapper à la mégalopole. Il dirigeait l'orchestre d'un petit établissement d'enseignement secondaire dans les montagnes du nord, et je fus ébahie par sa connaissance des petites routes, des rivières et de la vie sauvage aux confins du Nouveau-Mexique. Nous passions nos week-ends à camper, faire des randonnées, gravir des montagnes. Il parlait, j'écoutais et apprenais.

J'étais aussi très impressionnée par la façon dont il se comportait avec ses élèves. Il pouvait faire preuve d'une fermeté réelle si nécessaire, mais ses classes répondaient si bien à ses manières plus aimables qu'il en venait rarement à prendre des mesures disciplinaires. Lorsque je le voyais guider un de ses étudiants dans l'exécution d'un morceau de musique ardu, je l'imaginais aisément agir de même avec nos enfants, un jour futur.

Le seul problème, justement, résidait dans le refus de Rich d'être père. Bien avant notre rencontre, il avait décidé que ses élèves seraient ses seuls enfants. Et si j'essayais de lui faire changer d'avis, il me répondait invariablement :

— Je m'occupe d'enfants toute la journée. Je mérite de pouvoir rentrer dans un foyer sans enfant si j'en ai décidé ainsi.

J'aurais pu triompher d'une ex-femme, autoritaire avec ses proches ou sujette à toutes les mauvaises habitudes, mais toute mon existence j'avais attendu d'être mère. J'aimais trop Rich pour le quitter, mais je désirais trop des enfants pour l'épouser. Nous nous contentâmes donc de vivre ensemble.

L'existence avec Rich était aussi enchanteresse que l'Etat dans lequel nous résidions. Dans notre petite maison de location en pisé, nous étions aussi heureux qu'un couple peut l'être. Nous passions des heures en promenades le long du Rio Grande, à échanger nos idées, à créer des chansons que je chantais tandis qu'il en jouait la mélodie sur sa guitare, à nous divertir mutuellement.

Nous avions la musique, la passion, l'amitié. Et nous avions des chats. Tout mon instinct maternel s'était reporté sur quatre adorables bébés nommés Banana, Stanley, Murky et Belmont. Mais je n'étais pas dupe. Je voulais toujours le genre de bébé qui ne miaule pas, et Rich refusait toujours. Nous nous trouvions dans une impasse.

Rich céda le premier.

Nous nous mariâmes seize mois après notre rencontre. Jamais il ne regretta sa décision lorsqu'il résolut d'avoir une véritable famille avec moi. Nous aurions deux enfants dans un temps assez court, et pas un de plus. Je considérais sa position comme un compromis, puisque je désirais pour ma part au moins quatre enfants.

Pour notre lune de miel nous visitâmes la Californie, et bien sûr nous passâmes une journée à Disneyland. Rich n'y était encore jamais venu, et j'eus la joie de le lui faire découvrir. Alors que nous partions, il se tourna pour contempler une dernière fois Main Street et déclara :

— La prochaine fois que nous viendrons, nous montrerons Disneyland à nos enfants.

Je serrai sa main dans la mienne et lui avouai que j'avais eu la même pensée.

— Je rêve d'amener chacun de nos enfants ici, en forme de cadeau pour leur cinquième anniversaire.

— Ce qui signifie deux voyages à Disneyland, me rappela Rich en riant. Et seulement deux.

Dès notre retour à Albuquerque nous nous mîmes à la recherche d'un foyer convenable. Nous le trouvâmes dans la zone semi-rurale de South Valley, une maison avec une vingtaine d'ares de terrain clos par une palissade basse où nous espérions faire un peu de jardinage et élever quelques animaux en même temps que nos enfants. Rich se donna beaucoup de mal pour transformer le garage en salle de jeux. Il en fit un endroit merveilleux, aux couleurs sorbet orange et glace à la vanille. Le jour où il eut fini, posé la moquette et les rideaux, nous célébrâmes l'événement. Nous fîmes l'amour sur la moquette neuve, et portâmes un toast au bébé que nous espérions concevoir.

— Si tu tombes enceinte, plaisanta Rich, il faudra interdire l'accès de ce coin de la pièce par un cordon, comme dans les musées.

— Nous mettrons une plaque au mur : « Ici fut conçu Bébé Randazzo, le 18 mai 1977. »

Neuf mois plus tard exactement, nous allâmes au cinéma en compagnie de nos amis Jim et Janet. Avant l'aube mon ventre était vide et mes bras pleins d'un adorable petit garçon au regard lointain. Nous le prénommâmes Antony Richard et l'appelâmes Tony.

J'étais heureuse de dire adieu à ma vie de jeune fille, mais la venue de Tony allait signifier beaucoup plus dans mon existence. Elle entraînerait l'adieu à mon mariage, à ma carrière et, il s'en fallut de bien peu, à mon équilibre mental. Cette nuit de février, mon ignorance de l'avenir était une bénédiction.

CHAPITRE 2

Je quittai l'hôpital avec Tony alors qu'il n'était âgé que de dix heures. Il tétait déjà, je me sentais en pleine forme, il n'y avait donc aucune raison de rester plus longtemps dans les lieux. Dès notre arrivée à la maison, Rich le prit dans ses bras et l'amena directement dans la salle de jeux orange et blanche.

— C'est ici que seront tes voitures, tes camions, tous tes jouets, lui déclara-t-il.

Ensuite il lui fit faire le tour du propriétaire, en expliquant le rôle de chaque pièce.

— Et voici ta chambre. Tu vois ce seau dans le coin ? C'est pour tes couches. Un jour il y aura un bureau pour toi, à la place.

Les yeux à demi ouverts, Tony paraissait plutôt perdu ! Je ne pouvais m'empêcher de rire en les voyant tous les deux. Rich était tellement fier de son fils ! Tony était robuste et pourtant fragile et dépendant. Sa tête était d'une forme parfaite, surmontée d'un fin duvet brun. Et ce visage ! Bien sûr nous avions imaginé un joli bébé, mais ni l'un ni l'autre ne nous étions attendu à ce qu'il soit aussi beau. Les flashs des appareils photos crépitèrent toute la journée à mesure que nos amis passaient nous voir pour admirer notre enfant.

Toute la première semaine fut un réel plaisir. Rich avait pris cette période de congé pour me permettre de récupérer de l'accouchement. Nous passâmes la majeure partie de cette semaine penchés sur le berceau, à contempler avec un sourire idiot vissé aux lèvres notre bébé endormi. Toutes les trois heures environ, Tony se réveillait pour être nourri, nous considérait quelques minutes puis replongeait dans le sommeil. J'avais beaucoup lu sur les premiers jours du bébé, et je m'attendais à ce qu'ils soient beaucoup plus difficiles. Je savais que les nouveau-nés pleurent souvent sans raison particulière et que cela peut être une rude épreuve pour les parents. Mais à la fin de la semaine je commençai à me détendre. A l'évidence, nous avions un bébé très paisible.

Ce calme prit fin lorsque, durant sa septième nuit à la maison, Tony se réveilla pour être nourri et refusa de se rendormir. Pendant une heure j'arpentais la pièce en le tenant dans mes bras, sans qu'il cesse de pleurer et de vagir. Le lendemain matin, j'inscrivis dans son album de naissance : « 18 février : première crise inconsolable ». Je détestai le voir aussi frustré, mais j'avais l'impression d'avoir rejoint un club très fermé. Mon père s'était toujours glorifié d'avoir parcouru un millier de kilomètres à tourner en rond, un bébé en pleurs dans les bras. C'était le signe distinctif des parents, comme les renvois sur l'épaule. Un parent doit être capable d'accepter les inconvénients comme les plaisirs que lui procure sa progéniture.

Chaque jour les crises de larmes et de vagissements de Tony devenaient plus longues et plus fréquentes. Je changeai de tactique pour économiser mes forces : au lieu de marcher en le tenant dans mes bras, je me contentais de le bercer. Tony me regardait droit dans les yeux, avec un air presque accusateur, tout en pleurant et en martelant ma poitrine de ses membres. En général il pleurait une ou deux heures le matin, quatre en fin d'après-midi et une heure de plus durant la nuit. Il avait trois semaines la première fois où je me mis à le secouer pour hurler en retour :

— Tu vas tout à fait bien !

Puis nous pleurâmes de concert pendant les heures suivantes.

Notre pédiatre avança l'hypothèse de coliques et d'un système nerveux encore immature. Il nous assura que ce comportement ne durerait pas plus de six semaines en tout. Quand Tony eut un mois et demi, je l'emmenai chez le médecin. Nous étions en plein milieu d'une période de neuf nuits de pleurs continus. Le Dr Seltz l'examina et le trouva robuste, d'un poids très convenable, en pleine forme physique... et bruyant. Par-dessus le vacarme, il me cria :

— Comment faites-vous pour rester aussi calme ?

— Je simule ! lui répondis-je sur le même ton.

Ma mère m'avait toujours répété que les mères nerveuses ont des bébés nerveux, et je fis donc mon possible pour ne pas céder à la tension. Pendant toutes ces heures de pleurs et de vagissements, je me répétai deux mots comme un mantra : « Patience... Contrôle-toi... Patience... Contrôle-toi... » Dès qu'une nouvelle crise de larmes survenait, j'installai un tabouret près du berceau, avec de quoi manger et boire, des kleenex et tout ce dont je pourrais avoir besoin pour les quelques heures à venir. Et je commençais à bercer.

A la vérité, mon estomac se serrait chaque fois que j'entendais Tony s'éveiller. Mon calme apparent était effectivement une simulation, et une simulation de plus en plus fragile. Il m'arriva de laisser Tony dans son berceau et de sortir faire le tour du quartier pour ne plus l'entendre... et ne pas céder à la tentation de le frapper.

Il m'apparut que c'étaient peut-être les bébés nerveux qui rendaient les mères nerveuses. Je me demandai combien de fois une mère éperdue était allée voir le pédiatre, son bébé pleurnicheur avec elle, pour être accusée de causer l'agitation de l'enfant. Durant ces premiers mois avec Tony, ma plus grande source de réconfort fut un article dans *Psychology Today* qui décrivait très exactement ce phénomène. Intitulé « Eduquer les mères » il citait des recherches qui prouvaient que les agissements de la mère envers son bébé sont modelés par la personnalité de l'enfant, et non l'inverse. Tony essayait de me transformer en monstre, mais je luttais de mon mieux pour lui résister. Mon maternage avait déjà des bases solides grâce à mon expérience familiale de jeunesse avec mes frères et sœurs et le bon exemple de ma propre mère. Aussi, lorsque Tony me poussait à bout, je tournais ma mauvaise humeur vers Rich.

Avant la naissance de Tony, je pensais que ma seconde priorité dans la vie — après un bébé bien nourri et propre — serait d'assurer le bonheur de Rich. J'étais déterminée à me faire jolie pour son retour du travail, à lui préparer de bons dîners et à lui réserver un peu de temps. A présent je me remémorais ces bonnes résolutions avec une ironie amère. J'étais certaine que Rich pensait de même, mais je ne l'avais jamais entendu le formuler, car nous n'avions plus le temps de discuter. Lorsqu'il rentrait à la maison, Rich arpentait la maison en berçant un Tony hurlant tandis que je préparais le repas. Ensuite Rich mangeait tandis que je berçais Tony, puis nous échangions les rôles. Lorsque enfin Tony s'endormait, le repos était une priorité bien plus urgente que dorloter mon mari.

Mais Rich était compréhensif. Il ne se plaignait pas de ma mise, ni de l'état de la maison. Il m'assurait ne pas être gêné de devoir bercer Tony durant des heures, ou de regarder seul la télévision parce que j'allais me coucher le plus tôt possible. Il faisait de son mieux pour se montrer patient, autant avec Tony qu'avec moi. Il tint aussi longtemps qu'il le put, mais une nuit nous finîmes par craquer tous les deux.

Rich n'avait cessé de me promettre qu'il me soulagerait une nuit tout entière en s'occupant de Tony si celui-ci se réveillait pour une crise après que nous serions couchés. Mais il ne le faisait jamais. Il parvenait à s'endormir malgré les hurlements de Tony, exploit qui m'était impossible. Une nuit je le secouai et lui rappelai sa promesse.

— Laisse-le s'époumoner, grogna-t-il avant de se rendormir.

Possédée par la rage impuissante qui s'était accumulée pendant toutes ces heures où Tony m'avait martelé la poitrine en me regardant de ces yeux accusateurs, je tirai férocement mon mari du sommeil.

— Tu prends le bébé et tu vas le bercer à l'autre bout de la maison ! m'écriai-je. J'ai besoin de me reposer un peu !

Rich s'assit sur le bord du lit et resta un moment immobile, tête entre les mains. Puis il se tourna vers moi.

— C'est *toi* qui voulais des enfants, lâcha-t-il.

Et il se leva pour s'occuper de Tony.

CHAPITRE 3

Le premier sourire d'un bébé ne ressemble a aucun autre sourire. Sa bouche s'ouvre si largement, ses joues remontent si haut sur les pommettes que ses yeux doivent loucher pour voir quelque chose. Tout son corps se tortille comme si on le chatouillait. Le premier sourire de Tony fut une splendeur.

Il se produisit un jour, alors que Tony se trouvait sur la table à langer. Il remarqua une petite tapisserie aux couleurs vives accrochée au mur. J'aurais pu en éprouver de la jalousie, mais j'étais l'auteur de la tapisserie, et je traduisis le sourire comme un compliment. Rich se précipita pour saisir son appareil photo, et nous prîmes un cliché du second sourire.

Avec Tony, nous partagions d'autres moments de bonheur. Les débuts d'après-midi et les fins de soirée étaient habituellement calmes et joyeux. Tony passait ces périodes de la journée à accomplir avec obstination son progrès moteur suivant, et pour chaque étape il était un peu en avance sur son âge. A sept mois il maîtrisait la station assise, et il avançait à quatre pattes dans la maison, en se tenant aux meubles. Lorsqu'il était en de bonnes dispositions il était tout simplement adorable, et dans ses mauvais moments il se montrait parfaitement insupportable.

Les semaines passant, nous ne pouvions plus attribuer ses crises à des « coliques » ou un « système nerveux immature ». Nos explications changeaient chaque jour.

— Il a eu une rude journée parce qu'un chien a aboyé, ce qui a interrompu sa sieste.

— Le plombier était dans la maison toute la journée, et sa présence a perturbé les habitudes de Tony.

Rich et moi parlions continuellement des progrès de Tony. C'était presque devenu notre unique sujet de conversation. Nous mettions en relief les bons moments et trouvions toutes sortes d'excuses pour les mauvais, dans un effort évident de nous convaincre de deux choses : premièrement, que Tony se calmerait et se comporterait comme un bébé normal d'un jour à l'autre maintenant; deuxièmement, que je n'avais pas perpétré « le canular ultime » à l'encontre de mon mari. Il n'était pas question de reconnaître que ce n'était pas là l'existence que Rich avait rêvée pour lui-même, et ce n'était certainement pas cette vie meilleure qui, je le lui avais assuré, remplacerait avantageusement celle à laquelle il se destinait. A présent il semblait que je l'avais mené en bateau pour satisfaire un de mes désirs, ou que je m'étais trompée en croyant qu'être parents amènerait plus de joies que d'ennuis. D'une façon comme d'une autre, il était trop difficile d'admettre que Rich avait pu avoir raison dès le début. Il aurait dû se faire faire une vasectomie avant notre mariage.

Mais il était trop tard. Nous avions un enfant qui pleurait au moins quatre heures par jour, et nous devions nous préparer à dix-huit ans avec lui. Mais la situation allait s'arranger, certainement. Demain, tout irait mieux. Aujourd'hui était déjà mieux qu'hier. Oui, le pire était derrière nous. C'est du moins ce que nous nous répétions chaque fois que nous trouvions un moment pour discuter. Il nous fallait croire que bientôt nous serions cette famille dont nous avions rêvé, marchant main dans la main, avec un bébé joyeux et souriant dans son harnais. Si on nous avait dit que les crises de Tony continueraient durant encore deux ans et demi, je ne sais comment nous aurions réagi.

Tony avait sept mois quand je découvris que j'étais de nouveau enceinte. Nos amis en furent choqués, et supposèrent qu'il s'agissait d'un accident, mais ils se trompaient. Rich et moi ressentions très fortement la nécessité d'un frère ou d'une sœur pour Tony. Nous en étions venus à interpréter son comportement comme celui d'un enfant gâté, et pensions que plus tôt il aurait de la compétition mieux cela vaudrait. Nous estimions également qu'au contact d'un autre enfant un bébé apprend les rapports avec autrui qui lui serviront toute sa vie. Tony avait besoin de cette expérience, nous en étions persuadés. Par ailleurs c'était quelque chose que nous avions prévu avant même sa naissance. Nous aurions deux enfants proches en âge, et pas un de plus.

Le jour où ma grossesse fut confirmée, Rich et moi allâmes au restaurant. Rich baptisa cette occasion « Soirée d'honneur de la mère » et m'emmena dans un restaurant à l'ambiance très romantique. C'était la première fois que nous osions confier Tony à une baby-sitter, et aussi la première fois où nous consacrions une soirée à notre couple. Ce fut une soirée très agréable.

Mais en rentrant nous trouvâmes la baby-sitter affalée sur le canapé, avec l'air de quelqu'un qui vient de passer au travers d'une catastrophe naturelle. La maison était calme.

— Comment a été Tony? demandai-je, sans douter de la réponse.

— Très mignon, mentit-elle en prenant son manteau.

Alors que je la raccompagnais chez elle, je lui dis combien nous avions apprécié cette possibilité de fêter la bonne nouvelle d'une autre naissance.

Au lieu de me féliciter, ma voisine adolescente s'arrêta net et me dévisagea, horrifiée.

— Oh, mon Dieu, s'exclama-t-elle, j'espère qu'il ne sera pas comme Tony!

Jamais nous ne la sollicitâmes de nouveau pour garder Tony.

Le lendemain matin Tony se montra plus irritable que jamais. Il hurla, pleura et se cogna le front contre le sol la majeure partie de la journée. Je me sentis plus soulagée qu'inquiète quand je pris sa température. Il était un peu fiévreux, ce qui une fois de plus pouvait expliquer son comportement.

En fait Tony souffrait d'une infection de l'oreille, première d'une longue série. Pendant les sept mois suivants il fut la plupart du temps sous traitement antibiotique. Ce traitement ne nous facilita certes pas la vie, mais il expliquait les crises de Tony.

A quatorze mois, Tony subit une intervention très simple appelée myringotomie. Des diabolos furent placés dans ses tympans pour permettre l'écoulement du fluide de l'oreille interne. Ainsi la pression était amoindrie, la douleur effacée et, nous en étions convaincus, les crises de Tony terminées.

Alors que j'étais assise avec Tony dans la salle de

réanimation, occupée à lui donner du Seven-Up dans son biberon, le chirurgien vint nous voir.

— J'espère que vous constaterez un changement dans sa personnalité, dit-il à Rich et moi. Ses oreilles étaient en assez mauvais état, mais l'intervention s'est très bien déroulée et il va se sentir beaucoup mieux. Une seule précaution à prendre : pas une goutte d'eau dans ses oreilles. Vous avez des questions à me poser?

Avant que je puisse répondre par la négative et le remercier, Tony ôta le biberon de sa bouche et répondit au chirurgien d'un bruit tonitruant. Tous les patients éveillés de la salle de réanimation éclatèrent de rire. Nous quittâmes l'hôpital pleins d'espoir.

L'opération se révéla être un succès dans tous les domaines, sauf un. Tony n'avait plus de fièvre, il ne se tirait plus l'oreille et ne souffrait plus de ces diarrhées qu'avait provoquées le traitement... Mais il ne pleurait et ne hurlait pas moins qu'auparavant.

Pendant quatorze mois nous nous étions persuadés que nous n'étions qu'une famille ordinaire avec les problèmes ordinaires que cause un enfant en bas âge. A présent nos faux-semblants s'écroulaient. Je commençai à remarquer chez Tony des détails qui m'inquiétaient, et je les citai à Rich. Après avoir abandonné l'usage des garderies (deux avaient refusé Tony durant l'année écoulée, parce qu'il perturbait les autres enfants), j'avais trouvé en une de mes anciennes patientes, une femme plus âgée que moi, une nourrice qui acceptait de passer les après-midi à la maison, ce qui me permettait de travailler. Les après-midi étaient la période la plus calme de Tony dans la journée, et il était toujours plus agréable dans son propre foyer. Mrs. Claire estimait que Tony était un enfant facile. Il passait tranquillement son temps à faire tourner les roues de son camion pendant qu'elle regardait la télévision. Je me demandai si Tony avait conscience de mon absence. Un jour, je confiai mon doute à Rich.

— Il ne me regarde jamais lorsque je lui dis au revoir ou quand je rentre à la maison. Mrs. Claire dit qu'il ne vient jamais la voir.

— De quoi te plains-tu? répondit-il. Tout va bien. Laisse tomber.

Et je laissai tomber. Mais avant longtemps je n'eus plus besoin des services de Mrs. Claire, et ma fulgurante carrière d'infirmière spécialisée dans la pathologie pulmonaire cessa brutalement.

La Lung Association s'investissait de plus en plus dans les maladies infantiles, or mes compétences concernaient surtout le domaine adulte. On me demanda de participer à un séminaire sur les soins pédiatriques de la pathologie pulmonaire, à Chicago, afin d'actualiser mes connaissances. C'était l'occasion rêvée. Non seulement je pourrais ainsi prouver à mes supérieurs que je prenais à cœur mon emploi, mais Tony pourrait m'accompagner et passer un peu de temps avec ses grands-parents.

Je ne m'attendais pas à ce que cela soit facile. Rien de ce que je pouvais entreprendre avec Tony ne l'était. Mais en planifiant soigneusement le déplacement, je pensais que je pouvais bien nous tirer d'affaire.

Tony et moi nous envolâmes pour Chicago quatre jours avant le début du séminaire, afin qu'il puisse s'habituer avec moi à son nouvel environnement. J'emmenai sa couverture, sa cuillère favorite, ses jouets. Mais le véritable talisman était la grosse bouteille brune de Benadryl liquide. J'avais finalement réussi à convaincre notre pédiatre de prescrire à Tony un somnifère léger, qui s'avéra d'une grande aide. J'avais prévenu mes parents que Tony ne serait pas facile, mais ils ne s'inquiétaient pas outre mesure. Ils s'étaient occupés d'un grand nombre de bébés.

Les trois premiers jours, tout se passa comme prévu. Mais, le jour précédent le séminaire, Tony se montra plus irritable, et j'eus presque l'impression qu'il éprouvait des difficultés à respirer. C'était sa façon d'exercer son contrôle sur la situation.

— Je dois gagner ma vie, Tony. Parfois il faut se faire aux aléas. Je t'en prie, ne me sabote pas cette occasion.

Je me rendis à la réunion d'ouverture du séminaire l'estomac contracté. Pendant la pause-déjeuner je téléphonai à ma mère.

— Comment est-il ?

— Très gentil. Il joue calmement, pour l'instant, me répondit-elle. Au fait, avais-tu remarqué qu'il avait du mal à respirer ?

— Une seule fois, hier.

— Eh bien, ça recommence maintenant. S'il ne cesse pas, je crois que je devrais peut-être l'emmener voir notre pédiatre après sa sieste.

— D'accord.

Je n'arrivais pas à le croire. Pourquoi aurait-il eu des difficultés à respirer ? Il n'y avait aucun cas d'asthme dans notre famille. Tony n'avait pas de fièvre, comme je m'y serais attendue s'il avait souffert de bronchite. L'anxiété seule pouvait-elle perturber la respiration d'un bébé ? Avait-il compris que j'étais partie à mon séminaire de pathologie pulmonaire infantile ?

Je n'obtins pas la réponse durant les conférences de l'après-midi. Je ne pouvais me concentrer sur les sujets traités, sauf quand ils avaient un rapport avec mon fils. Durant les pauses je parlais aux intervenants du cas de Tony.

Lorsque je rentrai, ma mère m'annonça les mauvaises nouvelles :

— Il s'est réveillé de sa sieste avec la respiration très courte. Je l'ai emmené chez le Dr O'Connor qui lui a fait une injection de Sus-Phrine et m'a prescrit de l'aminophylline.

Je savais que ces deux remèdes étaient des broncho-dilatateurs couramment utilisés dans le traitement de l'asthme. Je savais également qu'il me serait impossible d'assister au séminaire le lendemain. La Lung Association avait gaspillé son argent pour moi. Je me mis à rire. Parfois, lorsque je ne veux plus pleurer, je me mets à rire : c'est un réflexe qui pousse souvent les gens à douter de ma santé mentale. Peut-être devenais-je folle, en effet, à moins que je n'aie donné naissance au jumeau d'un *Bébé pour Rosemary*.

Cette nuit-là, ni moi ni Tony ne dormîmes beaucoup. Il resta éveillé presque toute la nuit, à respirer avec difficulté. Il ne pouvait s'endormir qu'en position assise, sa tête appuyée sur mon ventre déjà rond. Je n'aurais pu dormir, même si lui l'avait pu. Je savais que je quitterais mon emploi dès mon retour à Albuquerque. Ce n'était certes qu'un emploi à mi-temps, mais il me permettait de garder contact avec la pneumatologie et nous évitait la pauvreté. Peut-être pourrions-nous revendre une de nos voitures, ou contracter un emprunt. Il devait bien exister une solution...

Mais je ne l'avais pas trouvée lorsque nous descendîmes de l'avion à Albuquerque. Je tendis

Tony, épuisé d'avoir trop pleuré et haleté à Rich, et je fondis en larmes.

Rich réagit avec cette manière sarcastique qu'il avait fait sienne depuis maintenant un an :

— Je croyais que tu serais contente d'avoir ton propre petit asthmatique.

Il en avait plus qu'assez de l'état de crise perpétuel dans lequel se trouvait plongée notre famille, et il commençait à penser que c'était ainsi parce que je le voulais. Le fait que cette dernière complication s'inscrive dans mon domaine d'études semblait le lui confirmer.

Mais Tony n'était pas asthmatique. Ultérieurement il n'eut jamais de troubles de la respiration. Il n'en avait souffert que le temps de me faire perdre mon emploi. Rétrospectivement, je pense qu'il avait sans doute souffert d'une bronchite. Mais quoi que ce fût, je lui en voulais beaucoup. Mon travail était le seul domaine de mon existence où j'étais constamment payée de retour. Je me savais compétente, et appréciée par les patients avec qui je travaillais. Abandonner mon emploi fut une véritable blessure.

A présent, j'étais mère à plein temps. Je commençai à penser que Tony devrait fréquenter d'autres enfants. Notre pédiatre l'avait déjà suggéré, et j'avais songé qu'une garderie de jour aurait parfaitement rempli cet office. Mais il n'en était plus question, bien sûr. A présent, je réfléchissais à la meilleure manière de lui faire fréquenter d'autres enfants sans le laisser. Je parlais à mon amie Pat de créer notre propre garderie. L'idée l'enthousiasma et elle convainquit d'autres amies ayant des enfants en bas âge. Très vite Tony et moi nous réunissions tous les jeudis matin avec cinq autres mères et leurs bébés.

Cette garderie devint rapidement quelque chose de fondamental dans la semaine, comme l'avait été mon travail auparavant. Le groupe des six mères s'entendait parfaitement, et nous en vînmes à aimer les enfants des autres. Nous avions assez d'amour pour les autres, car nous étions toutes enceintes et nous sentions très mères nourricières. Nous organisâmes des sorties au zoo et dans les jardins publics. Peu importait que Tony détestât chaque minute de ces matinées. Nous ne rations jamais le rendez-vous du jeudi.

Pat, Jules, Loa, Peggy, Linda et moi nous inquiétions beaucoup pour Tony. Le jeudi matin ne présentait chez lui aucune différence avec les autres jours. Il pleurait, hurlait et s'accrochait frénétiquement à moi. Notre groupe développa et mit en pratique différentes stratégies pour l'aider à s'adapter, mais la plupart échouèrent. De temps à autres il jouait calmement dans son coin, à l'écart des autres enfants, et cela nous semblait un progrès. Néanmoins, mes amies étaient admiratives devant la façon dont je le supportais, sans jamais demander quelle erreur j'avais pu commettre. Le groupe des jeudis matin m'apportait plus de réconfort que n'importe qui d'autre.

— Vous devriez jouer plus souvent avec lui, conseillait notre pédiatre.

— Un jour, disait mon père, tu apprendras que les parents sont sensés s'occuper d'une maisonnée, et pas seulement des enfants.

— Si c'était moi qui restais à la maison et toi qui travaillais à plein temps à l'extérieur, ironisait mon mari, Tony n'aurait pas tous ces problèmes.

Je proposai, ou devrais-je dire menaçai de prendre Rich au mot, mais il battit aussitôt en retraite. Nous nous étions déjà dit beaucoup de choses que nous ne pensions pas.

CHAPITRE 4

Tony avait dix-sept mois à la naissance de sa sœur, Renée. Je le préparais à l'événement, comme toute mère doit le faire, en lui expliquant ce qui allait se produire, et en précisant bien que nous l'aimerions toujours autant après la naissance du bébé. Mais parler à Tony était comme me parler à moi-même. Il ne levait jamais les yeux vers moi ni ne réagissait. Ce qui ressembla le plus de sa part à une reconnaissance de la situation fut un « Uh-oh » lorsqu'il vit le berceau installé dans l'autre chambre.

Pourtant il nota qu'avec ma prise de poids je grognais chaque fois que je devais me pencher ou soulever quoi que ce soit. Il se mit à faire la même chose, et cela devint une sorte de plaisanterie entre nous : Tony imitait mes gestes et poussait un grognement encore plus sonore que le mien. Si je riais alors, il riait lui aussi. « Il se moque de moi, pensai-je. C'est très en avance sur son âge. » Aussi malin que parût ce petit jeu, c'était en réalité le premier signe d'écholalie, ce syndrome d'imitation qui est une des expressions de l'autisme. Dans les premiers temps, ce comportement est généralement pris pour une forme de communication, alors que c'est en fait une réponse sans intelligence à la communication.

A cette époque j'étais beaucoup plus préoccupée par une autre bizarrerie de son comportement. Tony était fasciné par les lumières et les ombres. Dans le jardin derrière la maison, il choisissait l'ombre portée par un des pieux de la palissade et se tenait immobile à son extrémité, pour en allonger l'ombre sans interruption. Dans la maison, il savait à quelle heure du jour le soleil tomberait sur telle ou telle porte de placard, et il jouait avec l'ombre projetée. Plusieurs fois je le trouvai en train de fixer du regard une lampe allumée.

Les autres enfants de notre garderie s'amusaient avec des jouets à friction. Je mentionnai cette différence à Rich.

— C'est parce qu'il est plus intelligent que ces autres enfants, s'exclama-t-il avec humeur. Pourquoi le compares-tu continuellement avec des enfants qui sont moins éveillés que lui ?

— J'ai consulté une dizaine de livres de pédiatrie, et tous disent que les bébés s'intéressent à ce genre de jouets aux alentours de douze mois. Il en a presque dix-huit. Et d'ailleurs, il n'est pas inintéressé par ces jouets, il est terrifié par eux. Il se met à hurler dès qu'un enfant en fait marcher un.

— Après la naissance du bébé, peut-être passeras-tu moins de temps à chercher des défauts chez Tony...

Rich répondait toujours à mes inquiétudes à propos de Tony en prenant sa défense, comme si mes doutes étaient des attaques personnelles dirigées contre notre enfant. Nous nous disputions au sujet de Tony parce que nous l'aimions beaucoup, malgré tous les tracas qu'il nous causait. Il y avait quelque chose dans ses yeux, ces yeux marron brodés de cils noirs, qui le faisait paraître tellement vulnérable... Nous étions simplement conscients qu'il avait besoin de nous, même s'il ne savait pas le montrer.

De même, il nous était difficile d'exprimer notre amour à Tony, car il ne marquait aucun intérêt pour les câlins ou une quelconque communication avec nous. Nous le nourrissions, l'habillions, le protégions, et quand il nous le permettait, nous lui montrions notre amour. Je suppose que Rich défendait ainsi Tony par amour, tout comme je m'inquiétais par amour, mais le résultat final était un conflit permanent entre mon mari et moi au sujet de l'autre personne la plus importante dans nos vies. Tony n'améliorait en rien les relations de ses parents. J'étais néanmoins en accord avec Rich sur un point : j'espérais moi aussi que le bébé à naître me donnerait un autre sujet de pensées hormis Tony, et un sujet plus heureux.

Renée fut mise au monde par une sage-femme au Southwest Maternity Center, après très exactement une heure et quarante-cinq minutes de travail. Alors que je relevais mes genoux vers ma poitrine et poussais de toute ma volonté, le bébé apparut, et Rich annonça :

— C'est un garçon... Non, attends... Je peux voir le bébé de face ?... C'est une fille.

J'eus l'impression que quelqu'un avait entendu la voix dans mon esprit qui s'écriait : « Oh, non, moi qui espérais une fille » et avait changé le sexe du nouveau-né ! Renée pesait trois kilos six cents, elle avait les cheveux bruns, de grands yeux éveillés et l'habitude délicieusement ridicule de sucer sa lèvre inférieure. En qualité de mère, mon premier travail avec Renée fut de lui montrer l'utilité de son pouce.

Peut-être par quelque réaction hormonale, ou à

cause de mauvais souvenirs, durant les premières semaines après mon accouchement je fus sujette à une sérieuse dépression. Chaque fois qu'elle pleurait pendant plus de trente secondes j'éprouvais l'envie de m'enfuir de la maison. J'avais passé toute la grossesse avec la conviction que le malheur ne frapperait pas deux fois le même foyer, mais maintenant, arrivé le moment de vérité, j'étais terrifiée à l'idée que cela puisse être le cas. Si j'avais autant de problèmes avec Renée qu'avec Tony, alors il était évident que l'anomalie venait de moi et non des bébés.

Mais Renée se révéla une enfant totalement différente de son frère. Si Tony était un adepte du cri, Renée préférait le hurlement. Elle savait très bien ce qu'elle voulait, l'exprimait très sonorement et cessait dès qu'elle l'avait obtenu. Son premier sourire me fut adressé. C'est alors que je me rendis compte de la différence entre les deux enfants. Renée m'adorait! Quand j'entrais dans sa chambre, elle gigotait pour lever la tête vers moi et me souriait. Si je l'approchais tandis qu'elle était assise dans sa chaise d'enfant, elle agitait frénétiquement ses bras et ses jambes et me lançait d'adorables babillements. Lorsque je la berçais, elle se blottissait contre moi et me couvait d'un regard débordant d'affection. Ainsi donc c'était cela être mère! Je pouvais apprendre à vivre avec. Mon état dépressif s'évanouit.

Bien que Renée me démontrât que je n'étais pas une si mauvaise mère, elle ne faisait rien pour apaiser mes craintes au sujet de Tony. Non seulement elle réagissait mieux que Tony bébé, mais très vite elle rejoignit le niveau de réaction de Tony, malgré leur différence d'âge. Son isolement était si profond qu'il ne paraissait même pas avoir enregistré la venue de sa sœur. De nouveau, je le comparais aux autres bambins du groupe que nous avions formé. A mesure que chacun devenait le grand frère ou la grande sœur d'un nouveau-né, j'observais les réactions classiques. Les enfants semblaient osciller entre le ravissement devant cette créature si petite et une dépendance accrue envers leur mère, doublée d'un ressentiment affiché envers le bébé. Avec les autres mères du groupe, j'avais discuté durant des mois des problèmes de rivalité entre enfants auxquels il fallait nous attendre. Curieusement, je n'avais aucun de ces problèmes avec Tony. Il paraissait presque heureux que mon temps soit pris par Renée. Il en profitait pour regarder fixement les ampoules électriques ou faire tourner les roues de son camion, plus encore qu'auparavant. Quand Renée criait il se couvrait les oreilles de ses mains, mais jamais il ne s'approchait d'elle, par curiosité ou colère. Pour ce qui concernait Tony, il y avait eu bien peu de changement dans son quotidien.

Je savais déjà qu'il valait mieux ne pas faire part de ces réflexions à Rich. Il aurait simplement répondu :

— Il se comporte de façon plus mature que les autres enfants, c'est tout.

Je gardais donc mes observations et ne les partageais qu'avec les autres membres du groupe de garderie.

Un jeudi de septembre, je restais après le départ des autres pour aider Pat à remettre un peu d'ordre dans sa maison. Nous nous étions assises devant une tasse de café et des sandwiches quand Pat me dit :

— As-tu déjà entendu parler d'un endroit nommé « Programmes pour enfants » ?

— Non.

— C'est une section du Centre de psychothérapie infantile qui évalue les aptitudes des enfants. Ils ont également des groupes qui s'occupent des parents ayant des enfants en difficulté. J'ai pensé que tu pourrais peut-être... les appeler...

Elle hésitait, sans doute devant mon expression. Je me sentis blêmir et le rythme de mon cœur s'affola. Pendant quelques instants je craignis de m'évanouir. Mon amie suggérait que Tony n'était peut-être pas normal, et je la connaissais assez pour savoir combien il lui en coûtait de me parler ainsi. Je devinai qu'elle avait discuté avec les autres mères du groupe et qu'elles avaient conclu que l'une d'entre elles devait me conseiller de chercher une aide spécialisée pour Tony. Elle avait certainement perdu le sommeil à essayer de trouver les mots justes pour me le dire. Elle avait parlé d'un ton anodin, comme elle s'y était sans aucun doute entraînée, mais il n'y avait rien d'anodin dans ses propos. Pour la première fois, j'affrontais la possibilité que Tony ait de sérieux problèmes, peut-être pour la vie. Pat avait raison. Nous avions besoin d'aide. J'étais anéantie par cette révélation.

Rich serait fou de rage, c'était certain, mais j'estimais qu'il avait le droit de savoir que d'autres s'inquiétaient pour son fils. Je le laissai vider sa colère et pester contre ces femmes idiotes et leurs gamins avec qui je gaspillais mes jeudis matin. Je ne le contredis pas. J'avais déjà décidé de soumettre Tony à une évaluation spécifique, que Rich le veuille ou non. Je jugeais parfaitement puéril qu'il se conduise ainsi, rendant ma vie encore plus difficile qu'elle ne l'était déjà. Jamais il ne me vint à l'esprit que mon mari pouvait avoir sa propre façon de réagir à la douloureuse révélation qui avait failli me faire perdre connaissance. Entre nous, le fossé s'agrandit un peu plus.

Notre pédiatre fut assez surpris quand je lui demandai de m'écrire un mot d'introduction pour le Centre de psychothérapie infantile. Tony avait certes toujours été en état de crise durant les visites chez le pédiatre, mais comme beaucoup d'autres enfants, et le Dr De La Torre ne les envoyait pas tous pour une évaluation. Ce genre de comportement entrait dans les normes. Lorsque je lui avais décrit la façon d'être de Tony à la maison, il s'était borné à me donner de petits conseils, mais sans jamais paraître particulièrement alarmé. A présent il me regardait d'un air effaré.

— Pourquoi ? me demanda-t-il.

— Parce qu'il pleure et hurle des heures durant, qu'il se cogne volontairement et qu'il ne parle pas encore.

— Vous faites bien de m'en parler, dit-il, puis, après avoir considéré Tony d'un regard songeur : il a pourtant l'air tellement normal...

Plus tard il devait s'excuser de ne pas avoir été plus réceptif lorsque j'exprimais mes craintes. Mais il n'était pas fautif. Après tout, il était le cinquième pédiatre de Tony en moins de deux ans, et celui qui me prenait le plus au sérieux ! Durant l'infection de l'oreille dont avait souffert mon fils, il s'était montré très concerné, et il avait pensé en toute bonne foi que l'intervention chirurgicale résoudrait tous les problèmes. Les quatre pédiatres précédents s'étaient plus ou moins contentés de tapoter les fesses de Tony en m'assurant que c'était un garçon doué d'un tempérament affirmé avant de nous reconduire à la porte. Au moins le Dr De La Torre nous avait envoyé à un ORL. C'est lui également qui m'écrivit une lettre d'introduction pour le Centre de psychothérapie.

Je fus étonnée d'apprendre que le premier rendez-vous ne concernait que moi. D'après les éléments que je leur donnerais, les spécialistes décideraient si une évaluation poussée était nécessaire. Rich ne fit aucune objection et resta à la maison pour garder les enfants.

Les derniers temps Tony avait été plus joyeux, et je commençais à me sentir un peu ridicule d'avoir pris ce rendez-vous. Dans un bureau exigu, de forme bizarre, je rencontrai une assistante sociale nommée Marcia qui me lut les questions imprimées sur une feuille de papier et nota mes réponses en regard. J'avais l'impression de lui faire perdre son temps, et j'étais presque confuse de répondre des choses comme « Il s'est tenu assis à cinq mois, s'est traîné à six », etc. Elle leva les yeux de son questionnaire et me considéra un moment quand je lui précisai que ses crises duraient toujours au moins une heure, et souvent près de quatre. Elle parut encore plus surprise quand je lui appris que ces crises étaient quotidiennes, quand il n'y en avait pas deux par jour. Elle m'interrogea sur sa petite enfance comme si elle connaissait très bien Tony.

Au lieu de me faire redouter que Tony ne cadre pas à un diagnostic défini, ces questions m'amenèrent à penser qu'il correspondait à un profil psychologique précis. Je m'attendais à entendre Marcia me révéler que Tony était « un bébé Y typique », qu'il « développerait un caractère introverti » mais qu'il était « très éveillé », et qu'il me faudrait « faire preuve d'encore un peu de patience ». Au lieu de quoi elle me déclara :

— Je pense que vous devriez nous amener Tony

pour une évaluation approfondie. Je ne sais pas comment vous avez pu endurer cela aussi longtemps...

Je sortis de son bureau en proie à un désarroi émotionnel intense. Une spécialiste venait de me dire que j'étais une bonne mère avec un mauvais enfant; c'était un soulagement en même temps qu'une horreur. Aurait-il été préférable d'entendre que j'étais une mauvaise mère et Tony un bon enfant? Je compris que c'étaient là les deux seules alternatives existantes. Un de nous causait problème. Lui, ou moi. D'une façon comme d'une autre, je perdais.

Dès que je lui racontais mon entrevue, Rich saisit au vol mes sentiments :

— Parfait, tu as trouvé quelqu'un pour te dire que tu n'étais pas responsable de ne pas savoir t'occuper de ton propre fils. Désolé, tu n'emmèneras pas Tony voir ces gens-là.

— La ferme! m'écriai-je en prenant ma fille dans mes bras et en l'étreignant.

Lorsque Renée avait besoin de réconfort, elle suçait son pouce. Quand c'était moi qui avais besoin de réconfort, je serrais Renée dans mes bras.

*

Une évaluation approfondie signifiait des rendez-vous avec les différents spécialistes de chaque domaine échelonnés sur plusieurs mois.

Le premier fut une spécialiste du développement infantile nommé Carrie. Nous nous rencontrâmes dans une grande et belle salle de jeux aux murs bordés de jouets. Une fenêtre panoramique donnait sur un jardin plein d'arbres dont le feuillage commençait à roussir à l'approche de l'automne.

Carrie me posa le même genre de questions que l'assistante sociale du premier rendez-vous, mais elle paraissait accorder moins d'attention à mes réponses qu'à Tony. Il faisait le tour de la pièce et regardait les jouets mais ne s'arrêtait pour jouer avec aucun. Il geignait et pleurnichait, et de temps à autre tombait à genoux et se cognait le front contre le sol. J'expliquai à Carrie que Tony n'aimait pas voir ses habitudes bousculées, même si cela le mettait en contact avec de nouveaux jouets.

Carrie me demanda de l'appeler. Je prononçai son prénom plusieurs fois, avec de plus en plus d'insistance. Tony ne répondit pas.

Elle me demanda comment je m'y prenais pour attirer son attention, et je lui montrai mon stratagème. Je sortis un gâteau et dit :

— Gâteau, Tony.

Quand il vint le prendre, je le chatouillai. Lorsque j'agissais ainsi, il me regardait toujours droit dans les yeux et riait. Je lui donnai le gâteau et il reprit ses cercles dans la salle de jeux.

Brusquement une bourrasque de vent agita les arbres, et les feuilles bruissèrent; quelques-unes tombèrent. Enchanté, Tony courut jusqu'à la fenêtre en poussant un petit cri et sautilla sur place en riant tant que dura le coup de vent. Quand celui-ci cessa, Tony se calma.

— Vous voyez, dis-je à Carrie. Il n'est pas toujours aussi grincheux. Il est adorable aussi.

Carrie approuva d'un hochement de tête, mais son expression restait fermée. Tony avait pris un jouet dont il faisait tourner les roues.

— Quand il est comme ça, dis-je, il me fait penser à cet enfant autiste que j'ai vu dans un film à la télévision, l'autre soir.

Elle posa sur moi un regard pénétrant.

— J'ai eu la même association d'idées, dit-elle.

Quelque chose dans son expression me déplut énormément. Je ramenai Tony à la maison aussi vite que je le pus.

Pendant le trajet en voiture, je continuai mentalement la discussion avec Carrie : « Je n'ai pas dit qu'il était autiste. J'ai dit qu'il pouvait donner cette impression, de temps en temps. Il y a une grosse différence ; » Qu'elle ait pu penser que Tony était autiste relevait de l'aberration pure et simple. Je jetai un coup d'œil à Tony dans le rétroviseur. « Regardez-le, pensai-je encore. Il est enjoué, en pleine santé, et très éveillé. Il n'est pas assis dans un coin, à se balancer... »

Et soudain revint à ma mémoire une phrase inscrite dans mon cours d'infirmerie pédiatrique : « L'autisme est difficile à dépister chez les enfants avant leur deuxième anniversaire. » Tony avait vingt mois. Or les enfants autistes de moins de deux ans ne s'asseyaient pas dans un coin pour se balancer. S'ils l'avaient fait, diagnostiquer l'autisme n'aurait présenté aucune difficulté. Comment se comportaient les enfants autistes de vingt mois ? Faisaient-ils tourner sans fin les roues de leurs jouets ? Regardaient-ils fixement les ampoules électriques ? Pleuraient-ils sans répit ?

J'arrêtai la voiture sur le bas-côté de la route et m'efforçai de contrôler ma respiration. La vague de terreur qui avait déferlé sur moi chez Pat me submergeait de nouveau. Une fois encore je contemplai Tony dans le rétroviseur. Il regardait dans le vide, devant lui.

Je ne pus parler de cet épisode à personne, pas même à mes amies, avant un certain temps.

[illegible]

[illegible] Tody dans le [illegible] [illegible] Il n'est pas [illegible]

[illegible] revint à ma mémoire [illegible]

[illegible] L'enfance [illegible] Tody [illegible]

[illegible] comprenaient les enfants [illegible] de vingt [illegible]

J'arrêtai la voiture sur le bas-côté de la route [illegible] Tody dans le [illegible] dans le [illegible]

Je ne puis parler de cet épisode à personne, pas même à mes amies, avant un certain temps.

CHAPITRE 5

Cette souffrance psychique que j'avais éprouvée à deux reprises déjà devait me frapper de nombreuses fois encore. Sa cause en était la certitude que Tony ne pourrait jamais tenir pleinement son rôle d'adulte. Je voyais mon rêve d'une famille américaine modèle mourir aussi sûrement que si on avait stoppé la circulation dans une partie de mon corps. Mais alors il y avait un moment, parfois une heure, où la distance de Tony s'évanouissait, et ses yeux s'illuminaient. Dans ces instants je savais que je m'étais désolée sans raison.

Une fois il tira une chaise jusqu'à l'évier, près de moi, y grimpa et m'embrassa spontanément. Une autre fois il dirigea sa trottinette vers l'endroit de la pièce où je m'étais assise sur la moquette et vint déposer un baiser sur ma joue. Chaque fois que je voyais cette étincelle dans son regard je reprenais espoir et me disais que son comportement anormal n'était peut-être qu'une période, ou que je m'inquiétais sans raison sérieuse. Mais le voile retombait bientôt sur ses prunelles et le chagrin m'étreignait de nouveau, comme la première fois.

J'appelai le Centre et pris le rendez-vous suivant. Cette fois nous rencontrerions des spécialistes du langage et de l'expression.

Le jour du rendez-vous, Tony se comporta exceptionnellement bien. Il était aussi très mignon, avec sa salopette de velours côtelé bleu pâle, son T-shirt rayé et ses chaussures de tennis. Le soleil du Nouveau-Mexique avait rosi ses joues et doré ses boucles. Il fit forte impression sur les jeunes femmes qui lui firent passer les tests, et qui ne semblaient pas avoir plus de dix-huit ans.

Elles l'emmenèrent dans une petite pièce et l'assirent à une table d'enfant. On lui demanda très clairement d'accomplir certaines tâches. J'étais fière de lui. Tony était très attentif et il fit de son mieux pour satisfaire la demande des adultes. Il reconstituait les puzzles présentés avec une rapidité surprenante, mais chaque fois qu'on lui proposait une poupée il la jetait violemment sur le sol avant de se replonger dans son occupation. C'était un spectacle très amusant, et il se tira bien de ces tests.

Ensuite nous allâmes tous dans une grande salle emplie de jeux et de jouets. Cette fois Tony se montra très excité. Il découvrait beaucoup de choses avec lesquelles il avait envie de jouer. Mais au lieu d'aller seul prendre un jouet, il me saisit par le poignet et m'amena jusqu'à celui qu'il désirait, pour que je le prenne à sa place. Il posa ma main sur le jouet puis essaya de le faire fonctionner avec mes doigts. Il semblait que ma main était un outil disponible pour lui, sans personne au bout du poignet. Les deux évaluatrices parurent fascinées par ce comportement.

Tony prit mes deux mains, leva la tête vers moi et dit, d'une voix suppliante :

— Wa-da, Wa-da.

— Il veut que nous jouions aux Wallendas Volants, expliquai-je. C'est un jeu que m'a suggéré Carrie lors de notre dernière visite. Elle m'a dit que les enfants qui n'aiment pas se faire câliner préfèrent souvent les jeux plus brutaux. Elle avait raison.

Les deux jeunes femmes semblaient très surprises, et elles me demandèrent une démonstration. Je m'allongeai sur le dos, genoux repliés et plantes des pieds tournées vers le plafond. Tony arriva en courant et s'allongea sur mes pieds. Je le soulevai alors en l'air et le fis tourner avec mes pieds. Puis je le mis en position assise et le fis sautiller plusieurs fois. Enfin je le lançai plus haut et bougeais mes pieds de façon qu'il retombe en glissant le long de mes jambes, jusqu'à mon ventre. C'était toujours la partie du jeu que préférait Tony. Il s'affala sur ma poitrine et m'embrassa en riant.

Les deux jeunes évaluatrices étaient très impressionnées. Non seulement Tony avait oralement réclamé ce jeu, mais il n'avait cessé de maintenir le contact oculaire pendant toute sa durée, et ensuite il avait montré son affection.

— C'est un signe très positif, dit l'une d'elles. Très peu d'enfants autistes réagissent aussi bien.

De nouveau, ce mot... Il n'était jamais absent bien longtemps.

Après le repas, ce soir-là, je relatai en détails notre visite à Rich, y compris la mention du terme « autiste ». Il ne trouva rien à dire. Plus tard il se rendit dans la salle de jeux avec les enfants, tandis que je nettoyais la cuisine. Lorsque je les rejoignis, Rich était assis sur le sol avec Tony, et il prononçait son prénom sur tous les tons imaginables. Tony ne réagissait pas. Rich prit le menton de Tony dans sa main et le força à un contact oculaire, mais ce fut également un échec car Tony était trop occupé à sa dernière trouvaille : rouler des yeux.

Quand Rich s'aperçut que je les observais du

seuil de la pièce, il cessa ce qu'il faisait, prit un magazine et sortit de la pièce. Je savais ce qu'il ressentait, mais je ne pouvais pas le réconforter. Jamais il ne me consolait dans mes moments de détresse. Il criait, m'accusait et aggravait encore mon désarroi. J'étais presque contente de le voir triste plutôt qu'en colère, pour une fois. Cela lui servirait de leçon.

Avant que l'évaluation de Tony soit complète, nous avions encore deux entrevues, une avec un spécialiste des troubles moteurs, l'autre avec un pédiatre. Une semaine après le second anniversaire de Tony, en février, nous nous réunîmes pour le bilan de tous ces tests. Dans la voiture, Rich et moi avions l'estomac noué. Nous nous préparions en parlant des meilleures et des pires possibilités. Nous voulions éliminer l'élément de surprise, car notre fierté était en jeu, tout autant que notre avenir. J'étais déterminée à garder mon calme, quoi qu'on dût m'apprendre. Quant à Rich, il était le genre d'homme qui ne pleure jamais, et il n'avait pas l'intention de commencer maintenant. Nous nous étions préparés au mot « autiste » et à la nécessité d'une très longue thérapie pour supprimer les problèmes de Tony.

Le Dr Wolonsky, le pédiatre, vint nous chercher dans la salle d'attente. Nous éclatâmes tous trois d'un rire nerveux en constatant que Rich et lui étaient vêtus identiquement de blue-jeans et d'une chemise marron. Il nous mena dans une salle carrelée en damier. Deux rangées de sièges se faisaient face de part et d'autre d'une table basse. « C'est nous contre eux, et ils nous surpassent en nombre », pensai-je, mal à l'aise, en prenant place. C'est le Dr Wolonsky qui prit la parole le premier.

Tout d'abord il nous demanda quelles étaient nos

interrogations, et Rich rétorqua sèchement quelque chose à propos des évidences. Puis chacun des évaluateurs lut les résultats de ses tests, qui étaient tous sous forme chiffrée. Dans certains domaines, les performances de Tony correspondaient à son âge, dans d'autres il était en dessous de la moyenne, mais seulement d'un retard de quelques mois. Mais son développement cognitif, c'est-à-dire sa capacité à penser les situations, était celui d'un enfant de neuf mois. Ce fut le premier choc. « Cela signifie-t-il que son QI n'atteint même pas 50 ? » pensai-je sans oser le demander.

Les spécialistes du langage et de l'expression nous décochèrent le second coup. Elles déclarèrent que les aptitudes au pré-langage de Tony étaient si pauvres qu'il ne parlerait sans doute jamais, à part pour montrer l'écholalie qui commençait à poindre. Des cloches carillonnaient sinistrement dans ma tête et j'eus du mal à me concentrer sur le reste de la discussion.

Le Dr Wolonsky la résuma en disant que Tony présentait une « ressemblance à l'autisme » et un « retard fonctionnel ». Le premier terme signifiait qu'il rassemblait les critères permettant le diagnostic d'un autisme infantile précoce, le second qu'il serait impossible de définir s'il était mentalement attardé à cause de l'autisme, mais qu'il se comporterait comme s'il l'était.

— Il aura toujours besoin que quelqu'un prenne soin de lui, conclut le Dr Wolonsky.

Je pleurais déjà à chaudes larmes et Rich luttait contre l'envie d'enfoncer son poing dans le mur. Nous ne désirions qu'une chose : rentrer chez nous.

Autisme, ressemblance à l'autisme et autisme

infantile précoce... trois termes décrivant le même état et employés selon les personnes. Les familles disent de leur enfant qu'il est autiste. Les professeurs et les médecins se réfèrent à la notion de ressemblance à l'autisme, parce que cela laisse place à l'erreur. Et les professionnels qui étudient et écrivent sur cet état l'appellent autisme infantile précoce. Les amis bien intentionnés parlent d'une erreur et conseillent de ne pas mettre d'étiquette sur l'état de votre enfant.

Mais ce n'est qu'en donnant un nom à la condition de leur enfant que les parents peuvent commencer à la comprendre. Si on veut se renseigner sur un sujet précis, on peut trouver des livres le traitant, mais « vagues difficultés relationnelles » ou « crises de pleurs et de hurlements » ne figure pas au catalogue. « Autisme », si. Rich et moi lûmes les ouvrages sur ce sujet, nous suivîmes des cours le disséquant et discutâmes avec d'autres parents d'enfants autistes. Nous découvrîmes que l'autisme est une condition très difficile à expliciter. Ses causes sont aussi mystérieuses que les enfants eux-mêmes. Son traitement varie selon le dernier article paru. Une des raisons pour lesquelles il est si difficile de trouver un traitement efficace tient au caractère unique de chaque enfant. L'un se balancera doucement alors que l'autre se cognera la tête en hurlant. L'un ne parlera jamais, l'autre répétera chaque mot entendu. L'un aura peur de tout, l'autre de rien. Quel que soit le symptôme, l'autisme le pousse à l'extrême.

Ces différents symptômes de l'autisme peuvent néanmoins être rangés en catégories, ce qui permet de mieux les appréhender. Une de ces catégories est nommée « ritualisme ». Certains enfants suivent des habitudes aussi immuables qu'elles sont bizarres. Par exemple, ils taperont du pied trois fois et pivoteront sur leurs orteils avant de venir s'asseoir à table pour manger. Tony n'était pas aussi rigide que d'autres, mais il était encore très jeune, et d'ordinaire ce genre de symptômes s'aggrave avec l'âge. Il était déjà très attaché à ce que les choses se déroulent suivant le même schéma chaque jour. Il aurait préféré ne jamais sortir de la maison. Lorsqu'une nouveauté était ajoutée à sa routine, comme l'école, il avait du mal à l'accepter au début, mais assez vite l'incorporait dans ses habitudes. J'appris à mes dépens qu'un arrêt pour faire de l'essence sur le chemin de l'école pouvait ruiner toute la journée.

Une autre catégorie de symptômes est dénommée « comportement d'auto-stimulation », et comprend ces étranges mouvements répétitifs qui rendent l'enfant tellement déroutant. Tony ne s'autorisait que de faibles variations sur ses manies. Parfois il battait des mains, comportement qu'il avait assez étrangement adopté d'après l'autiste du téléfilm. Il aimait également contempler ses orteils et les faire bouger. Ces comportements occupaient la majeure partie de son temps. Les interrompre était encourir le risque de déclencher une de ses crises.

Une troisième catégorie est l'incapacité à communiquer par le langage. Il arrivait à Tony de retenir des mots et de les employer correctement, mais il les oubliait toujours ensuite. Je m'en rendis compte quand il avait environ un an, alors que j'avais scotché sur la porte du réfrigérateur une liste des mots qu'il utilisait. Lorsque j'en ajoutais un en bas de la liste, il y en avait toujours un à barrer en début de liste. A l'époque, j'estimais ce phénomène normal, mais il ne l'est pas. Il répétait aussi certains mots, mais de la même façon qu'il copiait mes grognements quand il était plus jeune.

Ce défaut de langage va de pair avec le comportement qui est le signe distinctif de l'autisme, un isolement extrême. Tony était en règle générale plus heureux lorsqu'il était seul, et mes tentatives pour le distraire l'ennuyaient visiblement. Pour lui, la foule était une ambiance très effrayante. Je me souviens avoir traversé l'épicerie avec Tony dans le caddy, désespérément accroché à ma robe. Il avait trop peur pour oser crier.

Ses crises de hurlements et de pleurs étaient inhabituelles mais non inconnues dans le domaine de l'autisme. Personne ne savait exactement dans quelle catégorie les ranger. Elles l'isolaient et faisaient partie de son rituel personnel. Quant à son habitude de se cogner la tête, c'était à n'en pas douter un acte répétitif. Bien sûr, c'étaient là les symptômes les plus difficiles à supporter pour nous, juste avant son extrême solitude. Nous en venions à nous demander si Tony éprouvait quoi que ce fût pour nous, ou si nous n'étions que des esclaves consentants dans son entourage immédiat. En esprit je le comparais à un chat, seul et se complaisant dans son indépendance tant que ses besoins premiers étaient satisfaits. Comme un chat, il ne venait vers nous que pour des envies ponctuelles d'affection, sans jamais de réciprocité. Il lui arrivait même de hurler en pleine nuit pour le seul plaisir d'entendre le son de sa voix.

Les enfants atteints de mongolisme me faisaient plus penser à des chatons, affectueux et caressants mais peu intelligents. Je me demandais s'il ne serait pas plus facile de vivre avec l'un d'eux.

Janeen Kirk était de cet avis. C'était l'institutrice de Tony à l'école spécialisée où il allait maintenant.

Dans un premier temps il suivit le programme préscolaire, lequel ressemblait plus à une séance de thérapie qu'à une classe ordinaire. Je rencontrais Janeen une heure par semaine et nous discutions de la stratégie à adopter pour aider au mieux Tony. Elle me donnait des idées tirées d'une expérience de plusieurs années passées à étudier et à s'occuper d'enfants handicapés. Je les appliquais et lui faisais part des résultats obtenus. Comme pour les livres que j'avais lus sur le sujet, certaines des suggestions de Janeen aidaient, d'autres non. Par chance, Janeen se souciait peu d'avoir raison tout le temps, et je pouvais être totalement honnête avec elle, comme elle l'était avec moi.

Nous commencions toujours nos entrevues en parlant de Tony, mais la conversation déviait la plupart du temps sur moi et la façon dont je réagissais à la situation. Janeen se montrait toujours compréhensive et dynamisante. Elle me complimentait sur mes capacités à m'occuper d'un enfant aussi difficile. C'était sans nul doute une attitude calculée de sa part, mais à bon escient. Sachant que j'étais la personne qui se trouvait avec Tony la plupart du temps, elle pensait qu'en renforçant ma confiance en moi j'aurais un effet plus positif sur Tony. Chaque semaine, quand je la quittais, j'avais l'impression d'avoir été dynamisée et d'être capable de mieux m'occuper de mon fils.

Je nourrissais Tony non depuis deux ans, mais depuis deux ans et neuf mois. Une mère commence à nourrir son enfant dès le jour où elle refuse un apéritif parce qu'elle se sait enceinte. L'instinct maternel croît à mesure que le ventre grossit.

Lorsque j'appris que mon fils était handicapé, je fus choquée, blessée, mais mon instinct nourricier resta le même. Ainsi vulnérable, mon enfant aurait encore plus besoin de moi qu'un enfant normal. En agissant sur ces instincts naturels je parvenais à regagner un peu de respect de moi-même car je me montrais meilleure que la majorité des mères. J'avais une tâche plus ardue, et Janeen me convainquit que je l'accomplissais très bien. J'étais Supermaman. J'acceptai ce rôle d'autant plus facilement qu'il était plus gratifiant que la douleur qu'il masquait.

Rich, lui, n'avait pas ce côté nourricier pour enfouir sa souffrance. Il n'avait pas porté notre enfant dans son ventre. Il avait vécu ma grossesse comme un étranger fier et joyeux. Ma relation avec Tony s'était accrue quand j'avais commencé à le nourrir au sein, et une fois encore Rich avait été exclu de ce rapport. Il essayait de connaître son fils en jouant avec lui, mais Tony ne réagissait que par l'indifférence à ses approches. Comportement typique de l'autiste, Tony répondait à la sollicitude parentale par une négation affirmée. Rich finit par abandonner ses tentatives.

Il aimait Tony, mais la composante première de cet amour était la fierté. Tony était son premier né et lui ressemblait beaucoup physiquement. A son travail, Rich se vantait des derniers progrès de son fils et il avait toujours en poche les dernières photos de Tony. Il allait même jusqu'à s'identifier à la nature difficile de l'enfant en la comparant avec son propre caractère.

Quand il apprit que son fils était mentalement déficient, Rich fut anéanti. Deux années durant il avait vu en Tony un reflet de lui-même. A présent regarder son fils était comme contempler un miroir déformant en croyant le reflet exact. Pour lui le coup fut un coup d'assommoir. Il tomba dans une dépression sévère.

Les choses ne s'arrangèrent pas lorsque j'affichai sur la porte du réfrigérateur un poème intitulé *L'Enfant très spécial du paradis*. Le poème avait paru dans un article de Ann Landers, et je l'avais découpé parce qu'il faisait du bien à mon moral. L'idée était que les parents sont choisis par les anges pour élever leur enfant spécial. Ils sont choisis parce qu'ils sont plus capables et aimants que la plupart des parents. Rich lut le poème et dit simplement :

— Quelles foutaises...

Et il le couvrit d'une liste de courses à faire. Il n'avait pas l'impression d'avoir été choisi parce qu'il était bon, mais plutôt d'avoir été puni parce qu'il était mauvais. Je laissai le poème sous la liste, mais je soulevais celle-ci presque chaque jour pour lire les vers. A la maison il n'y avait rien que ce poème pour me prouver que j'étais Supermaman.

Pourtant, même en Supermaman je n'étais pas préparée à materner un bébé handicapé, un bébé normal et un mari dépressif. Je réagis à l'état de Rich par la colère :

— C'est mon fils aussi, et tu ne me vois pas écroulée sur le lit dans le noir toute la journée! Deviens adulte, bon sang!

La dépression de Rich était peut-être plus effrayante pour moi que tout le reste. Mon propre désarroi était caché par une activité frénétique ayant pour but de créer un environnement thérapeutique pour Tony. Si j'avais dû m'arrêter et réfléchir, j'aurais sans doute baissé les bras et rejoint Rich sur le lit.

Comme d'habitude, ce fut Renée qui me sauva. Elle était joyeuse, vivante et elle adorait sa mère. La meilleure expression pour la qualifier aurait sans doute été « visage de caoutchouc » tant elle arborait une infinité d'expressions faciales, la plupart très comiques. Dans son groupe de jeu, elle avait endossé le rôle du clown, mais elle s'accordait parfaitement aux autres bambins. Elle accomplissait ses progrès à l'âge normal, et c'était parfait. Je ne voulais plus voir aucune différence chez mes deux enfants, même si certains les auraient considérées comme des preuves de supériorité. Je ne désirais qu'une chose pour Renée : la normalité.

Malheureusement, sa vie de famille était tout sauf normale. Elle vivait avec pour fond sonore les hurlements quotidiens de Tony durant des heures. Elle essayait d'attirer son attention en babillant devant lui, mais il ne répondait jamais. Je ne pouvais m'empêcher de m'interroger quant aux conséquences de ce rejet sur son jeune psychisme. Je l'imaginais à l'école plus tard, essayant de décrire sa famille à ses nouveaux amis. Tous seraient désolés pour elle. D'une façon ou d'une autre, il nous incombait de lui offrir une vie heureuse.

Je décidai donc de faire plus dans le sens de Renée, même si cela perturbait la routine de Tony. Renée adorait l'aventure, les visages nouveaux et les expériences inédites. Tony vivait dans la peur de ces choses. Mon but était de le rendre plus flexible en lui imposant des entorses dans ses habitudes. Je résolus d'aller avec les enfants rendre visite à une amie qui habitait un ranch dans le nord du Nouveau-Mexique. C'était un endroit rêvé pour des enfants, et mon amie Kathy en avait deux du même âge que les miens. J'emportai le matériel de couchage de Tony, ses jouets et la bouteille de Benadryl. Je me forçai également à une attitude positive, dans l'espoir qu'elle serait contagieuse.

Renée et Darcy, la fille de Kathy, formaient une

paire de petites filles adorables. Nous les habillâmes de la même façon et prîmes des photographies qui nous font toujours rire aujourd'hui. Sa fille aînée, Hannah, se montrait aussi maternelle avec les bébés qu'une enfant de deux ans peut l'être. Tony faisait tourner les roues de son camion.

A huit heures toutes les fillettes allèrent au lit et je donnai à Tony sa dose de Benadryl. Je le berçai dans l'obscurité d'une pièce tranquille en attendant que le médicament fasse effet, comme toujours à la maison. Mais cette fois le Benadryl n'eut pas d'effet : Tony se tortillait et s'énervait pendant que je le berçais. Je finis par essayer de le coucher. Dès qu'il toucha son lit il se mit à hurler, et rien de ce que je pus faire ne l'arrêta. Il hurla jusqu'à deux heures du matin, empêchant toute la maisonnée de dormir, y compris le mari de Kathy qui travaillait le lendemain. J'étais furieuse contre Tony et profondément humiliée. A cinq heures du matin, quand Tony s'éveilla et recommença à hurler, Supermaman était à bout de nerfs. J'étais dans une telle colère que j'allai jusqu'à son lit et le plaquai contre le matelas. Il se redressa aussitôt en hurlant à mon visage. Je le plaquai de nouveau sur son lit, et me mis à lui parler lentement, entre mes dents :

— Sale petit abruti, tu vas te taire, à la fin ? Tu ne sais pas que je ne peux plus supporter ça ?

Lorsque Kathy entra dans la chambre, je n'avais plus une once de calme. Je criai à Tony de se taire.

— Ne t'en fais pas, me dit-elle. Nous avons assez dormi. Nous comprenons.

— Non, vous n'avez pas assez dormi ! m'écriai-je, incapable de me contrôler. Personne ne peut dormir assez quand Tony est là. Il empoisonne ma vie et maintenant il empoisonne celle de ma fille !

Kathy était ébranlée. Elle me suggéra de donner leur petit déjeuner aux enfants puis d'aller nous promener un peu. C'était un magnifique matin de printemps, et il y avait beaucoup de jeunes animaux à montrer à Renée. C'était en partie pour cette raison que nous étions venus ici. Mais même la promenade fut un désastre. Tous les enfants étaient épuisés et grincheux, et nous décidâmes de les ramener au lit.

Tout comme la nuit précédente, les enfants se rendormirent sans problème, à l'exception de Tony. J'étais déterminée à ne plus perdre mon calme, mais si fatiguée et découragée que je me retrouvai à sortir Tony de son berceau pour le secouer.

— La ferme ! La ferme ! *La ferme !* sifflai-je.

Il cessa de crier juste le temps de me jeter un regard qui me parut ironique.

— Et ne me souris pas de cette façon, sale gosse ! m'exclamai-je.

A cet instant précis, Kathy pénétra dans la chambre.

— Je ne peux plus le supporter, lui avouai-je.

— Je sais, dit-elle en m'entourant les épaules de ses bras. Je comprends très bien.

— Nous rentrons, déclarai-je en m'écartant et en commençant à rassembler nos affaires.

— Ne t'en vas pas, dit-elle. Cette nuit il dormira. Tout ira mieux.

— Kathy, j'aimerais vraiment rester, mais si je le fais et qu'il recommence cette nuit, je crois que je le tuerai.

Durant tout le trajet de retour, les deux enfants dormirent dans la voiture, et il me fallut toutes mes réserves de concentration pour ne pas m'assoupir au volant. En arrivant je racontai tout à Rich, sans passer sous silence le fait que je me sentais capable de frapper Tony.

— Et pourquoi crois-tu donc que je ne rentre jamais dans sa chambre la nuit, quand il crie? répondit-il. J'ai peur de le frapper et de ne plus pouvoir m'arrêter. La seule façon de ne pas le frapper, c'est de nous imposer comme règle absolue de ne jamais lui donner la moindre tape.

Il avait raison. Je me promis sur-le-champ de ne jamais enfreindre cet interdit.

Je me rendis compte que, tout comme Rich, ma colère était plus aiguë la nuit venue. Combien de fois n'avais-je pas passé des heures allongée dans notre lit, incapable de dormir, à écouter ses cris et à caresser l'idée de le bâillonner avec un oreiller? Trop souvent. Ensemble, nous parvînmes à la conclusion que notre manque de sommeil chronique devait trouver une solution.

La parade la plus évidente aurait été d'installer Tony dans la salle de jeux pour la nuit, puisque cette pièce se trouvait à l'autre bout de la maison. Mais Tony dépendait tellement de ses habitudes et de ses repères que le changer de pièce aurait déclenché une crise toute la nuit. La seule chance de dormir, pour le reste de la famille, était de laisser Tony dans sa chambre et d'émigrer dans la salle de jeux. Et c'est ce que nous fîmes. Nous achetâmes un ventilateur de fenêtre bruyant qui amoindrissait le vacarme de ses cris. Je me sentais coupable d'insensibilité, en particulier quand au matin je pouvais voir à son visage qu'il avait beaucoup crié durant la nuit. Mais entre ma culpabilité et mon sommeil retrouvé, je passais plus de temps à jouer avec lui aux Wallendas volants durant la journée. L'ironie cruelle de la situation ne m'échappait certes pas. La salle de jeux avait été construite pour Tony, et c'était maintenant cette pièce que nous utilisions pour lui échapper.

Janeen m'assura que nous avions pris la décision qui s'imposait.

— Peut-être même qu'ainsi vous lui avez sauvé la vie, ajouta-t-elle.

CHAPITRE 6

Dans un premier temps, la situation empira.

C'était le printemps et Tony avait vingt-six mois. A neuf mois, Renée commençait à se déplacer en rampant. Je travaillais deux soirées par semaine au Lovelace Medical Center en qualité de simple infirmière. C'était l'échelon inférieur à celui d'infirmière spécialisée, mais cela permettait de payer les factures.

C'est un mercredi d'avril que pour la première fois Tony hurla et se cogna la tête durant tout le temps qu'il était éveillé, soit douze heures pour être exacte. Je fis de mon mieux pour rester calme, en pensant que le lendemain se passerait mieux. Je me trompais.

Le second jour commença à sept heures du matin, à la minute même où Tony se réveilla. Je tentai d'oublier le vacarme, mais c'était impossible. Souci supplémentaire, il ne mangeait jamais durant ses crises, et je ne voulais pas qu'il passe une autre journée sans rien avaler. Vers deux heures de l'après-midi je cédai à la panique et téléphonai à notre pédiatre. Il me dit d'amener Tony immédiatement, et nous nous rencontrâmes quasiment sur le parking. Depuis que je lui avais communiqué les résultats de l'évaluation de Tony, il s'était montré très attentif à notre cas. En voyant Tony il parut si triste qu'on aurait pu croire qu'il s'agissait de son propre fils.

Cette fois Tony resta tranquille durant tout l'examen, à notre grande surprise. Mais l'examen en lui-même ne révéla rien. Il n'y avait aucune raison physiologique apparente à sa crise. Néanmoins le Dr De La Torre décida de le traiter comme s'il y en avait une. C'était peu probable, mais il voulait savoir si un calmant puissant aurait un effet positif sur Tony. Si c'était le cas, des tests complémentaires permettraient peut-être alors, de définir la cause de ces crises.

J'acceptai. Le doute me dévorait tandis que je m'absorbais dans le train-train domestique et que mon fils se roulait par terre en hurlant jour après jour. Et s'il souffrait de quelque mal physique, d'un problème guérissable que j'ignorais ?

Le Dr De La Torre prescrivit de la codéine. J'administrai la première dose à Tony ce jour-là, à quatre heures de l'après-midi. Dans l'heure qui suivit non seulement il hurlait toujours hystériquement, mais il s'était mis à tomber face la première sur le sol, pour se relever et recommencer aussitôt. Et il saisissait tout ce qui était à sa portée et le lançait dans la pièce.

J'essayai de le calmer par un bain chaud et je faillis bien nous noyer tous les deux. Je tentai de l'amadouer avec sa nourriture préférée, qu'il me recracha au visage. Rien ne marchait. A huit heures je lui donnai une dose de Benadryl et il s'endormit rapidement.

Je m'écroulai sur le canapé, épuisée et prête à passer la soirée à m'abrutir devant la télévision, lorsque me revint soudain à l'esprit l'avertissement du Dr De La Torre : il ne fallait pas donner de Benadryl moins de six heures après la codéine.

— Rich, appelai-je, combien de temps entre quatre et huit heures ?

J'étais tellement anéantie après une journée avec Tony que je ne faisais plus confiance à mes propres calculs.

— Quatre heures, évidemment, me répondit-il.

Je me précipitai dans la chambre de Tony. Il dormait paisiblement, sa respiration était régulière et son teint normal. Aucun signe de problème respiratoire dû à l'accumulation de médicaments. En fait, il ne ressemblait en rien au bambin qui me torturait depuis deux jours.

Il avait le visage d'un ange battu, avec des ecchymoses provoquées par ses chutes répétées face contre sol. Pourtant sa douceur transparaissait encore, dans les cils recourbés sur ses joues constellées de taches de rousseur. Closes pour une fois, ses lèvres avaient la forme d'un cœur. Ses petites mains potelées s'agrippaient au bord de la couverture, dans un geste naturel. J'approchai une chaise et restai assise là deux heures durant, à le regarder respirer régulièrement. Je pris la ferme décision de faire du jour suivant le meilleur que nous ayons passé ensemble. Je serais tellement aimante qu'il ne pourrait pas me résister.

Le lendemain matin, je me réveillai en sursaut pour la même raison que les deux jours précédents. Il était sept heures du matin et Tony hurlait. J'entrai dans sa chambre en souriant et déposai un baiser sonore sur sa joue. Pour exprimer l'amour que j'éprouvais pour lui, je frottai ma joue contre la sienne en le sortant de son lit. Mais Tony ne voulait pas être aimé. Il se débattit pour échapper à mes bras, puis se laissa tomber sur le sol et se cogna la tête. Une nouvelle journée avait commencé.

A mesure que ma propre hystérie renaissait, je me rappelais que son seul moment de calme, la veille, s'était situé durant notre trajet jusqu'au cabinet du pédiatre. Un changement de décor briserait peut-être sa routine. Je mis Tony et Renée dans la voiture et me rendis à un magasin qui faisait des promotions sur les lots de Pampers.

Sur le moment, je crus avoir découvert la solution. Tony resta tranquille pendant le trajet en voiture, et il parut même content lorsque je le mis dans le caddy. Je commençai à me détendre et me mis à parler à mes deux enfants comme l'aurait fait n'importe quelle mère. Nous n'eûmes que le temps d'arriver au fond du magasin : Tony recommençait à hurler. J'essayai de le calmer en lui parlant, mais c'était inutile. Renée se joignit à lui. Je dirigeai aussi vite que possible le caddy vers le parking, sans avoir acheté de couches.

Avec des gestes délibérément calmes, je pris Renée et la harnachais à son siège. Je fis de même avec Tony. Puis je le giflai au visage, trois fois. C'était si bon de voir la marque rouge de mes doigts apparaître sur ces petites joues rebondies ! Maudit soit-il...

Je me redressai pour m'apercevoir que plusieurs personnes dans le parking me contemplaient avec une horreur non dissimulée. Sur le chemin du retour. je jetais de fréquents coups d'œil dans le rétroviseur, m'attendant à tout instant à voir apparaître une voiture de police. Curieusement, Tony s'endormit juste après mes gifles, avec les marques rouges visibles sur son visage angélique, sous les ecchymoses qu'il s'était lui-même infligées.

Il dormait toujours quand je le mis au lit. Renée s'exerça à ramper sur le sol de la cuisine tandis que j'appelais le Dr Wolonsky. Je n'avais pas oublié qu'il n'était pas pédiatre en exercice mais professeur d'université ; au désespoir, je voulais trouver quelqu'un qui me dise comment arrêter ces crises ou qui m'apprenne comment les supporter. La prochaine fois, je risquais de ne pas me contenter de gifles. Et la prochaine fois arriverait peut-être l'après-midi même.

Le Dr Wolonsky me dit d'amener Tony dès qu'il s'éveillerait.

Il avait la même idée que le Dr De La Torre la veille. Il espérait trouver une cause physiologique aux hurlements de Tony, et la soigner. Pourtant il ne put examiner Tony sur le moment, car les piles de sa petite lampe-torche étaient usées. Nous dûmes nous rendre dans l'immeuble voisin pour emprunter l'équipement adéquat.

Or cette bâtisse abritait le Département de pneumologie pédiatrique de l'Université du Nouveau-Mexique. Alors que nous parcourions le couloir, le bruit que nous provoquions fit sortir tout le monde des différents bureaux. Tony était entré dans une de ses crises, et Renée lui faisait écho parce que c'était l'heure de sa sieste. Les couloirs s'emplirent d'anciens collègues de mon passage à la Lung Association.

— Comment ça va ? demandaient-ils, l'air abasourdi et navré pour moi.

— Mal, répondais-je sans m'arrêter.

Après cette épreuve, l'examen du Dr Wolonsky ne révéla rien. Il ne voyait aucune solution à notre problème.

— Tout ce que je peux faire c'est chercher une médication appropriée pour le calmer. Mais il me faudra passer quelques coups de téléphone avant de décider laquelle est la plus indiquée. Pour être honnête, ce n'est pas le genre de problème que je traite habituellement. J'ai besoin d'en parler à des confrères plus au courant.

C'était mieux que rien.

— Mais je veux que vous soyez consciente d'une chose, poursuivit-il. Il est possible que ce traitement ne donne pas de résultat. Il se peut que vous soyez au début d'une situation qui perdurera toute la vie de Tony. Si tel était le cas, et que nous ne puissions pas le calmer, vous seriez en droit de considérer l'opportunité d'un placement pour lui. Vous ne pouvez continuer ainsi. Personne ne le pourrait.

— Comment pourrais-je le confier à une institution si le personnel ne peut pas plus le maîtriser que moi ?

— Les membres du personnel rentrent chez eux après leurs huit heures de travail quotidiennes, et ils mènent leur vie. Il ne vous reste plus d'énergie pour Renée, et encore moins pour vous-même... — Il se tut un instant, puis — Comment ça se passe entre vous et votre mari ?

— Assez mal, avouai-je.

Plus tard cet après-midi-là, quand Rich passa le seuil d'une maison en plein désordre pour retrouver deux enfants hurlant et une épouse épuisée, la situation s'aggrava encore.

— Est-ce que tu as fait quoi que ce soit de productif aujourd'hui ? lança-t-il avec un dédain devenu habituel.

Je répondis en lui jetant un biberon en verre entre les deux yeux. Avant qu'il ait eu le temps de réagir je me ruai sur lui et le bourrai de coups de poings. J'avais fini par craquer. Je ne me souviens même pas lui avoir lancé le biberon, mais je me rappelle très bien avoir voulu lui faire mal.

Ebahi, Rich s'écarta en marmonnant quelque

chose à propos de l'erreur que je commettrais en faisant une scène devant les enfants.

— Prends Renée avec toi, dit-il, et pars d'ici. Trouve un appartement et laisse-moi Tony. Tu ne sais que le bourrer de drogues. Je m'occuperai de lui, moi.

— Très bien, rétorquai-je. Il est tout à toi.

Et je partis avec Renée.

Mais j'avais oublié d'emmener de quoi la changer, et sans ses couches et de quoi la nourrir, j'étais de retour à la maison moins d'une heure plus tard. J'avais profité de mon absence pour aller acheter le Valium nouvellement prescrit à Tony. Après moins d'une heure passée avec notre fils, Rich était disposé à essayer le Valium sur Tony.

Nous nous efforçâmes de le faire ingurgiter à Tony le petit cachet jaune réduit en poudre et dissout dans un verre d'eau . Nous aurions bien pris un Valium chacun, mais nous ne voulions pas être à court de ce médicament s'il se révélait être la solution miracle. Pour accentuer l'effet du tranquillisant, Rich mit Tony dans la voiture et fit le tour de la ville. Il dut rouler plus de cinquante kilomètres avant que Tony ne cesse de crier.

Finalement, quand les deux enfants furent couchés, Rich et moi saisîmes l'occasion de parler. Un peu à contrecœur nous nous présentâmes mutuellement des excuses, mais nous restions en retrait l'un de l'autre. Je racontai à Rich notre journée, en concluant sur le conseil du Dr Wolonsky d'envisager un placement.

— Que pourra faire une institution, si nous-mêmes sommes incapables de faire quelque chose ?

— Rien sinon que le personnel rentre chez lui après la journée de travail, répétai-je. Je ne pense pas qu'ils le laisseraient se cogner contre le sol comme nous le faisons. Ils le maintiendraient certainement dans un berceau.

— Tu penses qu'ils l'attacheraient ?

— C'est possible. Je veux dire que si cela l'empêchait de se blesser, c'est sans doute la solution qu'ils choisiraient.

— Non, dit lentement Rich. Il n'est pas question qu'il soit ligoté dans un berceau.

La simple idée que notre enfant puisse être traité de la sorte m'était tout aussi insupportable. Mais nous devions affronter le dilemme : le laisser être ligoté dans un berceau en métal ou être frappé par sa mère. J'étais à bout de nerfs.

— Je préférerais le voir mort qu'attaché, dit Rich d'un ton égal.

Au lieu d'éprouver de l'horreur à ce propos, je sentis un soulagement croissant m'envahir. Il y avait une autre solution, après tout. Je fus la première à la formuler :

— Nous pourrions le tuer.

— Oui, nous pourrions, répondit Rich en regardant fixement ses mains. Tu pourrais trouver ce qu'il faut à ton travail, n'est-ce pas ? Une injection de quelque chose ?

— Oui, mais une autopsie révélerait le produit. Et il y aurait la trace de la piqûre.

Nous restâmes assis en silence un long moment.

— Il pourrait lui arriver un accident, dit Rich, comme de se noyer dans son bain, par exemple.

— Oui, ce serait plaisible. Mais tu crois que tu pourrais vraiment faire ça ? Tu penses que tu serais capable de le maintenir sous l'eau même quand il se débattrait ? Je ne crois pas le pouvoir, moi.

— Je le pourrais s'il le fallait. Je l'imaginerais ligoté dans un asile, et ça me donnerait la force de le faire.

— Nous passerions le reste de notre existence avec le meurtre de notre enfant sur la conscience.

— Mais nous saurions que nous l'avons fait pour lui.

— Jamais nous ne pourrions divorcer.

Nous éclatâmes tous deux d'un rire hystérique et ne pûmes nous arrêter, même après que nous eûmes cessé de trouver la réflexion cocasse.

Nous discutâmes durant des heures. Nous étions enfin en mesure de reconnaître devant l'autre notre détresse. C'était comme à l'époque d'avant les enfants, quand nous pouvions rire ensemble, nous entraider, nous aimer.

Malgré cette discussion aucune solution n'émergea. Nous pouvions garder Tony avec nous et assister au naufrage de notre vie. Nous pouvions le confier à une institution spécialisée et vivre avec la souffrance de l'échec. Et nous pouvions le tuer, nous convaincre que c'était une euthanasie nécessaire et tenter de garder ce secret.

Lorsqu'enfin nous allâmes nous coucher, nous dormîmes dos à dos, aussi loin l'un de l'autre que possible. Il avait été plus facile de voir en l'autre la cause de tous les problèmes que de reconnaître que nous étions maudits.

A quatre heures du matin, des cris me réveillèrent, et pour une fois ils ne venaient pas de Tony mais de Renée. Je lui donnai un biberon, la changeai, la pris dans mes bras et la promenai dans la pièce ; mais rien n'y fit. Après trois quarts d'heure sans changement, je m'habillai et l'emmenai au service des urgences. Rich s'étonna d'une réaction aussi extrême de ma part, et le personnel du service des urgences aussi.

— Je ne peux pas supporter qu'elle continue à crier, leur expliquai-je. Il faut que vous trouviez ce qu'elle a et que vous fassiez tout pour qu'elle s'arrête !

— Mais elle ne crie pas, répondit le médecin de garde sans cacher son incompréhension. Elle sourit. Elle a un début d'infection de l'oreille, rien de plus.

A l'évidence elle s'était calmée, et pas moi.

Le soleil se levait quand je repris la route de la maison. Renée me souriait dans le rétroviseur.

En arrivant, nous fûmes accueillies par un spectacle très agréable : vêtu de son pyjama jaune, Tony était tranquillement assis sur le sol de la cuisine.

— Depuis combien de temps est-il réveillé? murmurai-je à Rich.

— Trente-cinq minutes très exactement. Depuis il n'a rien fait qu'observer ses orteils.

Nous nous assîmes et contemplâmes la scène à trois mètres, par crainte de briser ce moment de calme. Tony continuait à fixer ses pieds, qu'il agitait en mesure. Soudain Renée glissa de mes genoux et se mit à ramper vers lui. Je voulus la rattraper, mais il était trop tard.

Elle s'assit à côté de lui et étendit les jambes pour mettre ses pieds comme lui. Sans succès elle voulut imiter le mouvement latéral qu'il imprimait à ses pieds. Elle gloussa, puis se pencha et saisit les orteils de Tony pour faire cesser le mouvement. Dès qu'elle les relâcha, les pieds reprirent leur oscillation, et Renée éclata de rire. Elle immobilisa de nouveau les pieds de son frère, puis les relâcha. Chaque fois qu'elle lâchait les pieds de Tony, leur mouvement reprenait, et elle riait un peu plus fort. J'attendais le moment où ce manège irriterait Tony et où il se mettrait à hurler.

Au lieu de quoi il commença à rire.

Renée et Tony firent connaissance ce matin-là, bien qu'ils aient vécu dans le même foyer depuis neuf mois. Et ils s'entendirent aussitôt. Renée continua de saisir les pieds de Tony jusqu'à ce qu'ils rient si fort tous les deux qu'ils s'écroulèrent l'un sur l'autre sur le sol de la cuisine. Puis ils partirent ensemble en rampant vers la salle de jeux.

CHAPITRE 7

Renée avait toujours été d'une espièglerie adorable, mais cela ne signifiait pas qu'elle fût un bébé facile. Elle avait un fort caractère et pouvait se montrer très exigeante. Souvent je me demandais comment j'avais pu avoir un premier enfant qui battait tous les records de difficulté et un second enfant aussi entêté. Où était le bébé placide et agréable que j'avais mérité pour compenser l'épreuve que représentait Tony ?

A présent je comprenais. Renée faisait preuve d'un caractère déjà très affirmé parce qu'elle en avait besoin pour entrer en contact avec son frère. Elle voulait qu'il devienne son compagnon de jeux et, attitude typique chez Renée, elle n'acceptait pas son refus, tout simplement. Une fois qu'elle eut conquis l'art difficile de ramper, elle mit tout en œuvre pour conquérir Tony. Elle passait ses journées à le poursuivre sans relâche.

— Il faut forcer sa solitude, nous avaient dit les spécialistes. Ne le laissez pas assis dans son coin à rouler des yeux.

Maintenant, Renée faisait le travail pour moi.

Et petit à petit il l'accepta. Leur relation le changea, presque dès le premier jour, de deux façons notables. Tout d'abord, il criait moins, Dieu merci. Si elles étaient toujours aussi fréquentes, ses crises duraient moins longtemps; pour la première fois de sa vie il trouvait une motivation dans l'approbation de quelqu'un.

Renée améliorait également les capacités de Tony à communiquer. Ni lui ni elle ne connaissaient beaucoup de mots, mais ils paraissaient toujours se comprendre. Ils se montraient mutuellement leurs jouets favoris. Ils faisaient des choses amusantes pour faire rire l'autre. Renée était à la base de toutes ces interactions, mais Tony y répondait. Il n'avait aucun problème à établir un échange visuel avec sa sœur. Et lorsqu'elle faisait une sieste, il sillonnait la maison en demandant :

— Baba? Baba?

— *Baba est au lit*, Tony, lui répondais-je, et il semblait comprendre.

Je savais qu'il était important de renforcer tout vocabulaire qu'il pouvait utiliser, même s'il était inapproprié. Si je lui avais répondu « Renée est au lit », je lui aurait certes montré que « Baba » était un terme incorrect pour désigner sa sœur, mais j'aurais risqué de décourager tout nouvel effort de langage. Rich et moi nous mîmes donc à parler de Renée en l'appelant « Baba ». Nos amis et relations adoptèrent ce surnom, et très vite tout le monde l'appela ainsi.

Des années plus tard, ma fille me dit un soir, au repas :

— Baba est le nom que j'avais quand j'étais bébé. On ne pourrait pas m'appeler Bob, maintenant?

C'est alors seulement que je lui remémorai son véritable prénom, qu'elle avait fini par oublier. Elle le reprit avec joie.

Le calme tout récent qui régnait chez nous me donna l'énergie de mettre en pratique une idée qui me trottait dans la tête depuis quelque temps déjà. Je voulais tester le régime alimentaire de Tony. On était en 1980, et ce sujet était très discuté dans les émissions télévisées et dans les ouvrages spécialisés qui paraissaient alors. La plupart des mères commençaient à voir les gâteaux Oreo d'un œil soupçonneux. Dans les groupes de jeux, nous essayions de faire accepter des céleris et des carottes en guise de récompense. Chaque mère avait une anecdote à raconter en relation avec l'alimentation de son enfant.

— Le sucre excite Joshua, disait l'une.

— J'ai remarqué que Sallky ne dort pas de la nuit quand elle a mangé du chocolat.

On me demandait souvent si Tony avait des problèmes avec certains aliments. Je pensais immédiatement au sucre.

— Non. Quand les antibiotiques lui provoquaient des diarrhées, j'avais pris l'habitude de lui donner du Seven-Up et du Jell-O, et ça lui faisait du bien.

Et un jour, alors que je répétais cette réponse, un déclic se produisit dans mon esprit. Si vraiment cela avait eu un effet bénéfique sur son état, alors peut-être avais-je supprimé une substance qui l'irritait quand je le mettais à un régime particulier. L'idée valait d'être approfondie. Je décidai de procéder par élimination.

La première étape était de définir sur quels aliments porterait ce test. Je choisis les flocons de blé, le chocolat et le lait parce qu'ils faisaient partie de sa nourriture quotidienne et que ce sont des allergènes fréquents.

La deuxième étape fut de supprimer ces trois

aliments pour voir s'il y avait une amélioration. Elle fut indéniable ! Il paraissait moins irritable, et dormait même mieux la nuit venue.

La troisième étape consistait à réintroduire une par une ces substances dans son alimentation. Je commençai par les flocons de blé, que j'ajoutai en quantité non négligeable à ses repas. Je guettai une détérioration de son état, mais elle ne se produisit pas. Le blé n'était donc pas la substance coupable, il pouvait rester dans son régime.

J'ajoutai ensuite le chocolat et attendis une modification. Rien.

Finalement je réintroduisis le lait à son menu. Un matin je lui fis boire un grand verre de lait. Une heure plus tard il était en pleine crise. Je continuai de lui donner du lait à boire toute la journée. Même sa sœur ne put entrer en contact avec lui. Cette nuit-là il se réveilla trois fois pour hurler à pleins poumons.

A mon travail, je parlai de mon expérience et du résultat obtenu au pédiatre.

— Impossible, me déclara-t-il.

Lorsqu'ils passèrent devant le bureau des infirmières, je pris à part deux spécialistes des allergies.

— Il ne peut y avoir aucune corrélation, m'affirmèrent-ils.

J'en parlai à Janeen.

— Faites ce que vous croyez correct.

Je le faisais déjà. Dans l'alimentation de Tony, j'avais remplacé le lait de vache par du lait de soja. Quatre fois je recommençai l'expérience en lui donnant ponctuellement du lait de vache. Les quatre fois la réaction fut identique. Le lait de soja devint une composante permanente de son alimentation.

Les choses s'amélioraient donc sensiblement.

Renée perçait sa solitude avec des résultats magnifiques. Rich et moi avions appris à encourager ses essais de langage, lequel commençait à se former. Et maintenant j'avais adapté le régime alimentaire de Tony pour le rendre moins irritable. Chacun de ces progrès était comme un degré d'une échelle qu'on gravit. J'imaginais qu'il en restait encore une dizaine avant le sommet, représenté par un Tony normal, en parfaite santé. Je confiai au Dr Wolonsky que mon but était que Tony rattrape le niveau des enfants de son âge pour son entrée en maternelle.

Une expression peinée passa sur son visage et il m'avoua qu'il jugeait peu probable un tel résultat.

— Je sais que vous avez entendu parler d'enfants qui auraient été guéris de leur autisme, mais la plupart des spécialistes pensent que ces enfants avaient fait l'objet d'une erreur de diagnostic. Le diagnostic concernant Tony n'est pas erroné. Il est bien autiste. Et, à l'heure actuelle, personne ne croit vraiment l'autisme réversible.

Le Dr Wolonsky estimait plus réaliste de viser à rendre Tony « socialement acceptable ». La tendance générale dans le traitement de l'autisme était de modifier le comportement en récompensant les bonnes attitudes et en punissant les mauvaises. Mais avec Tony, cette méthode était inapplicable. Il était incohérent de punir un enfant dont l'existence était déjà aussi misérable. Je pouvais le récompenser pour un bon comportement, mais de quelle façon? Tony résistait activement à toute marque d'affection, et il restait indifférent aux compliments. La meilleure récompense eût été de lui offrir un camion dont il pourrait faire tourner les roues, or c'était un des mauvais comportements que j'essayais d'enrayer.

Je ne pouvais en vouloir au Dr Wolonsky pour son raisonnement. Il me rappelait moi-même, lorsque je parlais à mes anciens patients, dans l'unité de soins de pneumologie :

— Non, la vitamine E n'accroît pas la prise d'oxygène par les poumons, même si le magazine *Prevention* l'affirme. Il n'existe aucune preuve scientifique autorisant à recommander l'emploi de la vitamine E dans le traitement de l'emphysème. Le mieux pour vous est de suivre le traitement prescrit par le médecin, et seulement celui-là.

Mais à présent je comprenais pourquoi mes patients continuaient à prendre de la vitamine E malgré mon discours. Toute solution possible mérite d'être essayée lorsqu'il s'agit de guérir son propre corps, ou celui de son enfant.

Mon expérience suivante concerna justement les vitamines. J'avais lu une théorie selon laquelle l'autisme serait dû à un défaut d'assimilation de la vitamine B6 par le corps. Je commandai donc un complément dans un catalogue par correspondance. Le catalogue lui-même citait dans les utilisations de la vitamine B6 la réduction des « problèmes comportementaux des enfants ». Dès que je reçus ma commande nous mixâmes la vitamine dans le lait de soja que Tony buvait chaque matin.

Avant que j'aie eu le temps de constater si ce traitement avait un effet positif, les diarrhées commencèrent. Il prit sa vitamine à huit heures, et à dix heures ses couches étaient trempées par un horrible liquide sombre. Je diminuai la dose de moitié, puis du quart, mais rien n'y fit. Je supprimai la vitamine B6 jusqu'à disparition des diarrhées, puis recommençai. Mais c'était sans espoir. La seule façon d'arrêter les diarrhées fut d'abandonner le supplément de vitamine B6.

Nous étions quelque peu déçus, mais Tony était déjà tellement plus facile à vivre que ce n'était qu'un revers de peu d'importance. Il me permit néanmoins de comprendre qu'il y a un moyen terme entre le renoncement à tout espoir et le désir d'accomplir l'impossible. Mais c'est une mesure difficile à trouver. Parfois je penchais vers le renoncement, parfois vers des excès ridicules. Mais il me semblait préférable d'essayer trop que de ne pas essayer assez. En ce cas, quelques diarrhées importaient-elles vraiment ?

Au début de l'été, Tony entra dans la classe dite de « soins spéciaux ». Quatre matinées par semaine il se trouvait dans une prématernelle type en compagnie de cinq autres enfants atypiques. Ceux-ci étaient atteints soit de microcéphalie soit de mongolisme. Dans ces deux maladies les tares sont autant physiques que mentales, si bien que les enfants qui en souffrent peuvent être reconnus comme attardés dès le premier regard. Tony, lui, était extérieurement normal et présentait un air plus éveillé que les autres.

Cette apparence normale était une bénédiction ambiguë. C'est à cause d'elle que les passants me fusillaient du regard au lieu de me lancer une œillade compréhensive lorsque Tony piquait une de ses crises en public. Ils pensaient que Tony n'était qu'un gamin trop gâté que je ne savais pas discipliner. D'un autre côté, son visage tout à fait normal signifiait que l'espoir était toujours possible.

En tant que professeur, Rich était libre tout l'été, ce qui me permit d'augmenter mes horaires à l'hôpital. Je travaillais le soir, et ne rentrais que vers deux heures du matin. Tony étant à l'école quatre matinées par semaine, Rich, Renée et moi avions tout le temps de nous retrouver en famille, comme n'importe quelle autre famille. Et je redoutais ces matinées !

J'adorais passer du temps avec Renée, mais elle dormait souvent et me laissait seule avec son père. Or Rich et moi n'avions pas eu d'autre sujet de conversation que Tony depuis si longtemps que je n'en gardais plus le souvenir. Lorsque nous tentions de discuter, cela finissait toujours par des accusations.

Les gens éduqués et raisonnables n'accusent pas l'autre de porter des gènes déficients. Ils ne hurlent pas, au plus fort d'une dispute, « C'est toi qui as ce chromosome anormal, et je te déteste pour ça ! ». Non, ils évitent ces extrémités et disent simplement « C'est toi qui lui as donné de la codéine. C'est pour ça qu'il est dans cet état. » ou « Tu ne m'as jamais aidée à m'occuper de lui quand j'en avais besoin. »

Sur ma vie j'aurais juré que je n'accusais pas Rich des problèmes que nous causait Tony, jusqu'au jour où je reçus un coup de fil d'un ancien ami. Bob était médecin, et il avait voulu m'épouser à l'époque où j'habitais encore Chicago. Je ne l'avais pas épousé parce que je n'étais pas amoureuse de lui. La pensée me vint alors que je raccrochais et retournais auprès des enfants : si je m'étais mariée avec Bob, je serais maintenant divorcée d'un homme aisé et j'aurais deux enfants normaux. Mais non, il avait fallu que j'exige d'être amoureuse, et pour quel résultat !

Si le fait de penser qu'un autre homme m'aurait sans doute donné des enfants meilleurs ne revient pas à accuser Rich, je ne vois pas ce que c'est. Mais une telle pensée vient naturellement dans ce genre de situation, et pas seulement aux parents, mais aussi aux amis et à la famille. Souvent, elle apparaît sous forme de questions plus ou moins subtiles :

— Tu prenais beaucoup de drogues au lycée?

— Tu ne crois pas que tu travaillais trop dur pendant ta grossesse?

— L'autisme est plus fréquent chez les enfants d'ascendance italienne ou irlandaise?

En se convainquant de la véracité de ces accusations détournées, les gens se persuadent que chacun peut maîtriser le cours de son existence. Si je dis qu'une tragédie est la faute de telle personne, alors elle ne peut plus m'arriver, parce que je ne ferais jamais ce que cette personne a fait pour la provoquer. Il est horriblement difficile d'accepter qu'on ait très peu de contrôle sur certains aspects de notre vie. Cela signifie que le prochain désastre peut survenir demain, ou même aujourd'hui. C'est pourquoi les parents d'enfants handicapés rejettent souvent la faute sur l'autre membre du couple : cela leur donne un faux sentiment de sécurité. Mais le mariage ne peut être sauvé tant que chacun ne s'est pas persuadé de la non-culpabilité de l'autre dans les problèmes de leur enfant, et accepté qu'ils aient simplement joué de malchance à la grande loterie humaine, jusqu'à perdre ensemble.

Rich et moi gardions en nous deux années de ressentiment l'un pour l'autre. Sa dépression continua, et je m'enfermai dans mon autosatisfaction.

Cet été-là, mon frère Kevin organisa une réunion de famille chez lui, dans l'Utah. Je voulais que nous nous y rendions.

— Tu as perdu l'esprit ? rétorqua Rich. Tony ne peut pas voyager. Tu ne l'as pas encore appris ?

— Il va beaucoup mieux qu'en mars dernier. Si nous préparons bien le déplacement, c'est très faisable.

En vérité, c'était une question d'amour-propre pour moi. Depuis la naissance de Tony, aucun membre de ma famille ne m'avait vue autrement qu'exténuée. Chaque fois que la situation était au pire, le téléphone sonnait. C'était ma mère.

— Je ne peux pas te parler maintenant, balbutiais-je entre deux sanglots.

Ainsi ma réputation se transmettait par le réseau téléphonique. Je commis même l'erreur de dire à ma mère que nous avions discuté de la possibilité de placer Tony dans un établissement spécialisé. En moins de vingt-quatre heures, tous les membres de ma famille étaient au courant.

Un par un ils m'appelèrent pour exprimer leur opinion :

— Nous sommes nés pour conserver ce qui nous est donné dans cette vie, quoi que ce soit. Tu n'as pas le droit de te débarrasser ainsi de tes problèmes.

En y réfléchissant, l'autosatisfaction est peut-être bien un trait de caractère familial.

Mais cette réunion représentait pour moi la chance de leur prouver à tous que je maîtrisais parfaitement la situation. Non seulement j'opérais des miracles avec Tony, mais j'avais aussi une petite fille absolument adorable.

Cette fois je préparai le voyage avec plus de soin que jamais. Nous roulerions durant l'après-midi, période qui correspondait à la sieste des enfants. Ils passeraient les matinées à jouer dans les piscines des motels où nous ferions halte. Il faudrait compter trois jours pour aller de Albuquerque à Salt Lake City, mais ce seraient trois journées relativement supportables.

Par mesure de sécurité, je demandai à mon frère Kevin de louer un berceau identique à celui dans lequel Tony dormait à la maison. Et cette fois j'emportais le Valium ainsi que le Benadryl.

Nous étions à une quinzaine de kilomètres d'Albuquerque quand Tony et Renée commencèrent à se plaindre bruyamment sur la banquette arrière. Je me retournai et fourrai de la nourriture dans leur bouche pour les faire tenir tranquilles. Rich se gara sur le bas-côté de la route.

— Nous rentrons, dit-il. Personne ne veut faire ce voyage à part toi.

— Tu as un comportement pire que celui des enfants, répliquai-je. Tu dois agir avec moi, et non contre moi. Et maintenant, démarre !

— Très bien. Mais ce sera un désastre.

Jamais on ne prononça paroles plus vraies. Chaque jour passé loin de la maison, la situation se détériorait un peu plus. Tony dormait peu et devenait de plus en plus irritable. Au lieu de n'avoir qu'une crise de quatre heures par jour, comme auparavant, il en avait vingt qui duraient dix minutes chacune. Chaque fois qu'il se mettait à hurler, Rich m'accusait en criant et Renée venait m'entourer de ses bras, saisie de frayeur. Notre fille passa sept jours les bras serrés autour de mon cou, à pleurnicher.

Ma mère me disait :

— Je sais ce qu'il a, mais elle ?

De Tony, mon père affirmait :

— La seule chose dont a besoin ce gamin, c'est un bon coup de pied au cul.

Quant à Rich, il me répétait inlassablement :

— Nous subissons cet enfer par ta faute.

Il me demanda même une fois, en présence de mon frère Kevin et de sa femme Sara :

— Combien vas-tu réclamer pour l'aide à l'éducation ?

Il n'eut pas à le dire deux fois. Durant le reste de cette visite lamentable et le voyage de retour, je ne pensais qu'à une chose : être libérée de Rich.

Plus j'y pensais et plus cela me paraissait attrayant : il aurait les enfants pendant les week-ends, et moi j'aurais la paix. Bien sûr, je devrais travailler pendant ces périodes, mais une journée compte plus de huit heures, et je pourrais m'en sortir en travaillant les nuits de vendredi, samedi et dimanche. J'aurais même du temps libre, un luxe du passé.

Et je pourrais de nouveau être regardée avec intérêt par un homme. A mon travail, j'avais sympathisé avec plus d'un célibataire. Ils flirtaient parfois légèrement. Ils semblaient respecter mes opinions. Ils me réconfortaient même, de temps à autre. Quand j'étais au travail, je me sentais femme, au contraire de mon impression quand j'étais à la maison. Et le divorce me permettrait peut-être de rencontrer un homme plus adulte que Rich, qui m'aiderait pour les enfants, au lieu de me reprocher leur présence.

Je commençais à penser que je pouvais fort bien me passer de Rich et de sa dépression. Alors que nous traversions Moab, dans l'Utah, je lui annonçai que je voulais qu'il quitte la maison.

— Pourquoi n'irions-nous pas voir un conseiller conjugal ? demanda-t-il, visiblement surpris malgré sa réflexion sur l'aide à l'éducation et mon attitude depuis.

— Pourquoi pas faire les deux ? contrai-je.

Depuis des mois je proposais de voir un conseiller conjugal, mais Rich avait toujours refusé. J'avais pourtant réussi à le convaincre de participer à nos séances d'adultes du jeudi soir, mais l'expérience n'avait rien donné.

Ces séances étaient organisées par « Programmes pour Enfants », et une dizaine d'autres couples y venaient régulièrement. Tous étaient parents d'enfants handicapés. Nous riions et criions lors de ces réunions. Nous pensions toujours accomplir un pas important lorsque nous partagions nos réactions les plus profondes avec des gens qui nous comprenaient, parce qu'ils avaient vécu ou vivaient la même chose. Mais le bénéfice qu'en tirait notre couple ne durait guère plus longtemps que le temps du trajet de retour à la maison.

Durant les quelques semaines qui suivirent, Rich se comporta mieux. Du moins, c'est ainsi qu'il définit son attitude. Il ne provoquait plus aucune querelle avec moi, mais en fait il ouvrait rarement la bouche. J'attendais qu'il dise qu'il avait pris rendez-vous avec un conseiller conjugal.

Finalement c'est moi-même qui abordai le sujet. Rich refusa platement :

— Ça va mieux entre nous. Pourquoi ferions-nous cela ?

— Je ne trouve pas que le simple fait de ne plus nous quereller soit véritablement une amélioration, tant que ce n'est pas remplacé par des conversations normales, lançai-je d'un ton sarcastique. Que tu n'aies pas prononcé une phrase depuis trois semaines ne signifie pas que j'ai changé d'avis. Je veux toujours que tu partes.

Une nuit, alors que je rentrais du travail, je trouvai Rich debout. Il m'attendait. Il bafouilla un moment, parut presque changer d'avis, mais finit par avouer. Il avait une liaison avec une autre femme.

J'étais complètement abasourdie, mais pas vraiment blessée. J'aurais parié n'importe quoi sur l'honnêteté totale de Rich envers moi, pourtant je ne souffrais pas d'apprendre sa trahison, simplement parce que je ne lui en voulais pas. Jamais l'idée ne m'avait effleurée qu'il pourrait lui aussi désirer ce qu'il ne trouvait plus dans son foyer, comme un peu de tendresse, ou d'estime. Le rôle de Supermaman m'accaparait. En fait je fus presque heureuse de savoir qu'il avait eu quelques moments agréables lors de ces dernières années. Mais je suis beaucoup plus pragmatique que la plupart des femmes : Rich, alors qu'il venait de signer la fin de notre union, pensait que son aveu pouvait permettre de repartir sur de nouvelles bases. Il promit de ne plus voir cette femme, mais c'était trop tard. Je disposais de l'arme suprême. A partir de cette nuit-là, lorsque je voulais avoir le dernier mot il me suffisait de crier « Tu m'as trompée » pour qu'il se prenne la tête entre les mains, vaincu. Je pris son infidélité comme prétexte pour mettre un terme à notre mariage, mais en fait cela n'avait aucun rapport. Bientôt Rich déménagea pour s'installer dans le premier d'une série d'appartements qu'il devait successivement occuper.

CHAPITRE 8

Lors de la séparation de leurs parents, Tony et Renée étaient si jeunes — deux ans et demi et un an — qu'ils la remarquèrent à peine. Renée adorait aller dans « la maison de Papa » parce que cela constituait un changement de décor, et Tony aurait suivi sa sœur n'importe où. Rich avait emmené avec lui la chose qu'ils aimaient le plus au monde, un jukebox Wurlitzer de 1957 bourré de disques de rock and roll des années cinquante. Avec Maman dans une des maisons et le jukebox dans l'autre, les enfants semblaient à peu près satisfaits.

Maintenant Rich m'avoue qu'il était terrifié les premiers week-ends où il les prit. Il ne s'était jamais très bien débrouillé avec eux plus de quelques heures. Lorsqu'il s'occupait d'eux quand j'étais au travail, il se comportait plus en baby-sitter qu'en parent. A cette époque je laissais les repas préparés, avec des instructions écrites. Je téléphonais régulièrement à la maison pour résoudre les problèmes éventuels. Et il détestait cela. A présent il se trouvait seul avec eux du vendredi après-midi au lundi matin.

Ces journées étaient longues et fastidieuses, découpées suivant la routine *repas-sieste-jeux, repas-sieste-jeux*... Les nuits étaient encore pires, car ils dormaient tous les trois dans la même pièce. Le mur qui les séparait de leurs voisins, une famille de réfugiés cubains avec cinq enfants, était mince comme du papier. Si Tony passait une mauvaise nuit, neuf autres personnes passaient une mauvaise nuit.

Rich fut obligé de résoudre lui-même certains problèmes. Il découvrit ainsi quelque chose d'intéressant concernant Tony. Il semblait que ses crises nocturnes étaient toujours déclenchées par le passage d'une voiture dans la rue, un bruit de chasse d'eau ou un enfant qui appelait sa mère. Ces bruits anodins dont se serait accommodé n'importe qui d'autre tiraient Tony de son sommeil. Pour résoudre ce problème, Rich acheta un ventilateur de fenêtre comme celui que nous utilisions pour couvrir les cris de Tony, et il le fit marcher en continu dans la pièce où ils dormaient. Le stratagème fonctionna parfaitement. Tony était capable de dormir la nuit entière. Une autre étape était franchie, un autre barreau de l'échelle gravi.

Lorsque Rich me fit part de sa découverte, j'installai moi aussi le ventilateur dans la chambre de Tony. Renée et moi pûmes réintégrer notre chambre, puisque nous n'avions plus à craindre d'être tenues éveillées toute la nuit. Rich était très fier d'avoir ainsi contribué au bien-être de tout le monde, en particulier de Tony. J'étais également très fière de lui. Sans ma présence pour lui donner l'impression qu'il était un parent moins capable, Rich avait découvert en lui sa part de Superpapa.

Il découvrit aussi qu'il est bon d'avoir un enfant qui court vers vous pour être réconforté, ou de voir une dent qui vient de percer. Et il se rendit compte que certaines des joies simples d'un parent pouvaient lui faire oublier que son fils n'était pas parfait. Peu à peu il se mit à se réjouir des progrès de Tony plus qu'il ne souffrait de ses échecs. Face à ses propres capacités, Rich apprenait à éduquer.

Un autre degré de l'échelle fut gravi grâce à un effort conjoint. Rich me déclara que ma présence paraissait manquer aux enfants durant le week-end, et il me suggéra d'enregistrer ma voix sur une cassette afin qu'ils puissent l'entendre chez lui. Je m'assis donc avec mes deux bambins, un magnétophone, et leur chantai une chanson. Il était maintenant si rare que je me prenne encore à rêver d'être Linda Ronstadt que je chantai quelques autres chansons. Ils m'écoutèrent avec attention et furent assez surpris quand le magnétophone reproduisit mon chant. Je tentai ensuite d'enregistrer leur voix.

— Tu peux dire *Maman* ? demandai-je.

— Maman, dit Renée.

— Tu peux dire *Coucou* ?

— Coucou, répéta Renée.

— Tu peux dire *Tony* ?

— Tony.

— Maintenant, à Tony, dis-je. Tony, tu peux dire *Maman* ?

Pas de réponse.

— Tu peux dire *Coucou* ?

Un long silence.

— Tu peux dire *Coucou* ?

N'y tenant plus, Renée s'exclama avec enthousiasme :

— Coucou !

— C'est bien, Baba, dis-je.

— Baba, prononça alors Tony.

« Baba » fut le seul mot prononcé par Tony que j'enregistrai sur cette cassette, mais ce n'était pas grave. Le but était d'y enregistrer ma voix pour eux.

Le lendemain, Rich leur passa la cassette. Ils furent très excités de m'entendre chanter, et s'écrièrent « Maman, Maman ! » durant toutes les chansons. Je suis sûre que cela ne plut guère à Rich.

Puis vint le passage où je demandais « Tu peux dire "Maman" ? ». Aussitôt, Tony répondit :

— Maman.

Ma voix enregistrée dit « Tu peux dire "Coucou" ? » et Tony enchaîna :

— Coucou.

A la fin de la cassette, Tony criait :

— Tony dit « Baba » ! Tony dit « Baba » !

C'était ahurissant. Il n'avait aucune difficulté à répondre à ma voix enregistrée. Rich et moi entreprîmes d'enregistrer régulièrement des cassettes pour les lui faire écouter. Les enregistrements amusaient aussi beaucoup Renée, mais son langage se développait si facilement que nous préférions les utiliser durant sa sieste. Nous ne voulions pas que Tony ait à se mesurer à sa sœur. Il écoutait les enregistrements et commença à prononcer des phrases très simples et à répondre avec facilité aux questions. Il semblait en être très heureux, comme s'il comprenait qu'il conquérait quelque chose d'important. Quant à moi j'estimais qu'un autre échelon avait été franchi.

Que la communication avec Tony soit enfin possible me ravissait, mais je ne pouvais m'empêcher de m'en demander la cause. Pourquoi lui était-il plus facile de répondre à ma voix enregistrée plutôt qu'à moi en personne ? L'explication la plus probable me vint à l'esprit : il n'était capable d'utiliser de façon satisfaisante qu'un de ses sens à la fois. Il ne pouvait m'écouter ET me regarder. Avec le magnétophone, il n'avait qu'à écouter. Cette théorie pouvait expliquer pourquoi ses contacts oculaires étaient si rares, mais non pourquoi il ne me répondait jamais directement, même sans me regarder. Du moins nous savions maintenant que son ouïe était une composante du problème. Il se réveillait au son d'une chasse d'eau qu'on tirait, pourtant il ne paraissait jamais entendre son propre nom quand on le prononçait. Peut-être, supputai-je, était-il capable d'annuler son ouïe à volonté à l'état de veille, et pas à l'état de sommeil ?

Un jour je me plaçai à un mètre de lui tandis qu'il était occupé à s'autostimuler en roulant des yeux. Je l'appelai par son prénom encore et encore, plus fort chaque fois, jusqu'à hurler. Il ne parut rien remarquer. Je me demandai alors si ses autres sens étaient annulés en même temps. Je pris un petit cube de bois et le lui lançai sur la poitrine. Aucune réaction. Je recommençai mais cette fois le cube l'atteignit à la tête. Le contact aurait dû être douloureux, mais il ne sourcilla même pas. J'en conclus que son sens du toucher était également annulé. Puis je me remémorai toutes ces heures où il hurlait et se cognait la tête. Ces crises survenaient encore, mais elles étaient devenues moins fréquentes. Je me demandai s'il n'agissait pas ainsi lorsque ses sens de l'ouïe et du toucher étaient annulés et qu'il essayait désespérément de faire parvenir des messages à son cerveau. Peut-être ne pouvait-il pas maîtriser l'action ou la neutralité de ses sens. Peut-être ne le savait-il même pas. Cette seule pensée m'emplit d'horreur.

Mais pour l'instant sa vision opérait. Il la stimulait obstinément en roulant des yeux. Un sens à la fois, telle semblait être une des clefs du problème de Tony. Cela expliquait nombre de ses comportements, mais pas tous. Et je ne savais comment utiliser cette découverte.

J'exposai ma théorie à plusieurs des spécialistes que je voyais régulièrement. Aucun ne parut savoir comment l'exploiter non plus. Au mieux ils estimaient qu'il y avait là une logique certaine, et ils me conseillaient de continuer à employer le ventilateur de fenêtre et le magnétophone.

Puis Rich me rappela qu'en une occasion Tony utilisait deux de ses sens simultanément. Lorsqu'il écoutait le jukebox et qu'il regardait son éclairage clignotant, il appréciait visiblement le son et les lumières. Quand il était avec Rich, il lui demandait chaque jour d'allumer le jukebox, et il ne se montrait satisfait que lorsque la musique s'ajoutait aux lumières.

— Je crois qu'il entraîne son cerveau, dis-je à Rich. Il comprend qu'il doit intégrer ses différentes perceptions, et c'est pourquoi il s'entraîne dès qu'il le peut.

Rich approuva mon analyse.

— Parfois je pense que ce petit garçon est bien plus éveillé qu'on ne le croit. Il résoudra son problème seul si on le laisse faire.

D'un point de vue purement pratique, notre séparation était la meilleure chose qui était arrivée à Tony depuis qu'il avait découvert l'existence de sa sœur. Rich et moi obtenions plus de résultats avec lui depuis que nous avions du temps libre chacun de son côté. Chacun avait le loisir de s'occuper un peu de lui-même et de réfléchir à l'état de Tony pour trouver de nouvelles solutions. Je lisais tout ce que je pouvais trouver sur le sujet, puis je prêtais les livres à Rich.

Il était difficile d'oublier deux ans et demi de négligences, mais nous parvenions toujours à échanger nos dernières informations et réflexions avant de nous disputer.

Peu après notre séparation, nous nous rendîmes ensemble à un atelier sur l'autisme à Santa Fe. Ni lui ni moi n'étions très enthousiastes à l'idée de passer ce temps ensemble, mais nous voulions tous deux prendre l'information à la source.

La formule de l'atelier était très inhabituelle. Tout le travail était centré sur une certaine Mme Dee Landrey, venue du Colorado sur l'invitation de la Society For Autistic Children. Enfant, elle avait souffert elle-même d'un mal diagnostiqué comme étant de l'autisme, et elle était maintenant une adulte en pleine possession de ses moyens. Ce qui était un euphémisme, car elle était mariée et enseignait dans une université. Elle se considérait pourtant toujours autiste, car elle avait beaucoup de difficultés à enregistrer des données extérieures. Elle n'avait pas parlé avant l'âge de sept ans, et elle avait vaincu nombre des symptômes les plus sévères de l'autisme par elle-même et grâce à ses efforts pour s'intégrer. A présent elle était capable de compenser ses carences, mais elle avait besoin pour cela de nombreux rituels personnels tout au long de la journée, et elle ne supportait pas les changements. Dee était très douée pour traduire le comportement des autres autistes, parce qu'elle savait ce qui se passait en eux. Seuls six familles et une poignée de professionnels participaient à l'atelier de Dee. Nous étions des invités de dernière minute, mais elle fut assez gentille pour accepter de rester un jour de plus afin de s'occuper de nous. Gratuitement.

Le premier jour, les six familles se réunirent avec leurs enfants autistes. Dee nous parla en groupe et, je le suppose, se livra à une observation continue de nos relations familiales. Lorsque nous entrâmes dans la salle, nous fûmes pétrifiés d'horreur à la vue d'enfants qui faisaient claquer leur langue et roulaient des yeux, certains avaient jusqu'à quatorze ans. Naturellement, nous avions vu notre propre avenir. Rich voulut partir sur-le-champ, mais je désirais rester, et il m'imita.

Pendant les six jours suivants, une seule famille à la fois amenait son enfant. Dee l'emmenait dans une petite pièce emplie de jouets, tandis que les parents observaient derrière un miroir sans tain. Dee travaillait en tête à tête avec l'enfant le temps nécessaire pour le comprendre. Ensuite elle sortait de la pièce et parlait aux parents. C'était absolument fascinant. Grâce à sa bonté et à son intelligence elle arrivait à vraiment comprendre l'enfant et offrait à ses parents une somme inestimable de conseils et de jugements. J'attendais avec impatience notre tour, qui devait avoir lieu le dernier jour.

Rich ne participa qu'au premier et au dernier jour de l'atelier. Lorsque vint notre tour de découvrir un peu ce qui se cachait dans l'esprit de Tony, nous arrivâmes tôt, sur notre trente et un, prêts au travail. Renée était adorable et faisait son numéro de charme à tous les autres parents. Tony restait un peu à l'écart, silencieux, l'air inquiet.

Avant que Dee ne l'emmène dans la petite pièce, je résumai l'histoire de Tony au groupe. Par le miroir sans tain nous pûmes constater qu'elle n'allait pas très loin avec lui. Il regardait continuellement derrière elle et essayait d'ouvrir la porte. Dee finit par le faire pour lui.

— Baba ? appela aussitôt Tony.

Nous expliquâmes alors qu'il était très dépendant de sa sœur. Dee fit entrer Renée dans la pièce et s'assit, se contentant d'observer les deux enfants.

Renée et Tony se plongèrent immédiatement

dans leur style de jeux habituel. Chacun choisit un jouet qui lui plaisait particulièrement et le brandit vers l'autre en babillant comme s'il expliquait l'utilisation du jouet à l'autre. Si le jouet avait une fonction amusante, ils la démontraient en riant. Puis Tony trouva une roue sur un axe et se mit à la faire tourner devant son visage. Renée s'approcha et glissa son doigt entre les rayons, arrêtant le mouvement. Ils gloussèrent tous deux. Elle ôta son doigt et Tony fit de nouveau tourner la roue. Le doigt l'arrêta une seconde fois. Tony essaya de tourner le dos à sa sœur pour regarder la rotation de la roue plus longtemps, mais Renée rampa pour être face à lui et tenta de stopper une fois encore la roue. Tony gardait un léger sourire aux lèvres en évitant les attaques de sa sœur, conscient qu'il voulait en fait qu'elle réussisse. Bientôt ils roulaient sur le sol en riant, et les parents assemblés derrière le miroir sans tain riaient eux aussi. Finalement Renée et Tony montèrent sur un lit d'enfant adossé au mur, en se répétant mutuellement : « Là-haut ! Là-haut ! ». Renée s'aperçut dans le bas du miroir et se mit à sautiller sur place en pointant un doigt vers son reflet. A cet instant Tony retourna s'amuser avec la roue. Les miroirs ne l'avaient jamais beaucoup intéressé.

Rich et moi attendions les conclusions de Dee.

— Il est en train de s'en sortir, dit-elle enfin, avec une certaine dose d'admiration dans la voix. J'ai constaté qu'il avait bien les problèmes dont vous m'aviez parlé, mais il n'est pas paralysé par eux. Renée fait très exactement ce qu'un thérapeute ferait, mais elle le fait mieux. Elle remplace son comportement d'autostimulation par quelque chose qu'il préfère : le jeu. Elle communique avec lui dans son langage, et elle lui offre un comportement à imiter. Grâce à sa présence, il finira par guérir.

Tous les parents avaient les larmes aux yeux, Rich et moi y compris. Enfin quelqu'un d'autre que nous pensait qu'il y avait de l'espoir.

Dee nous informa également que les hurlements de Tony n'étaient qu'une autre forme d'autostimulation, et que la meilleure façon de les supprimer était de lui proposer un autre stimulus. Plutôt que de le punir, le réconforter, lui administrer des médicaments ou l'ignorer, elle nous conseilla de le pousser à faire tourner quelque chose ou à rouler des yeux. En dernier lieu, elle approuva notre évaluation concernant les problèmes sensoriels de Tony et les méthodes que nous utilisions pour le faire progresser.

Avant de partir, Rich posa une ultime question :

— Existe-t-il un moyen d'accélérer le processus ?

Dee éclata de rire.

— Allons, que voulez-vous ? Un miracle ?

CHAPITRE 9

Entre-temps Tony était allé pendant tout l'été en classe spéciale pour la préparation à la maternelle. Promue directrice adjointe de l'établissement, Janeen n'était plus éducatrice mais son influence était partout perceptible. Elle avait une conception du rôle de l'école et de sa relation avec les parents que j'approuvais totalement. Comme je l'ai déjà dit, elle pensait que la meilleure façon d'aider l'enfant était de dynamiser ses parents. Le rôle principal de l'école consistait donc à assurer une garde d'enfants de qualité, afin de permettre aux parents de profiter du temps ainsi libéré sans aucune culpabilité. De plus l'école devait fournir aux parents autant de soutien et de renseignements que possible.

— Si des miracles doivent avoir lieu, disait souvent Janeen, ils seront le fait des parents, non des éducateurs.

J'appréciais cette façon de voir les choses et l'amitié de Janeen plus que je ne saurai jamais le lui exprimer.

Malheureusement pour nous, à la fin de l'été Janeen quitta son poste et retourna étudier pour préparer son doctorat en éducation spécialisée.

Beaucoup de changements parmi le personnel eurent lieu dans cette école durant l'automne, mais je ne m'inquiétai pas. Janeen et Viola, l'éducatrice d'été de Tony, m'avaient montré quels gens formidables travaillaient dans cet établissement, et j'attendais donc de rencontrer le nouvel encadrement de mon fils avec confiance. Je n'étais pas préparée à un changement d'attitude à cent quatre-vingts degrés.

Tony commença l'année avec les mêmes enfants et la même éducatrice-assistante. Seul l'éducateur principal était différent. Il s'appelait Robert, et comme durant l'été, je conduisais Tony à l'école chaque jour afin de pouvoir communiquer un peu avec Robert. Je partageais avec l'éducateur les mêmes renseignements qu'avec Rich, dans l'idée qu'il utiliserait ces données pour assurer en classe une certaine continuité avec la maison.

Un matin, après avoir amené Tony, je prévins Robert que mon fils avait une fois de plus cessé de se nourrir.

— Il fait toujours cela quand il progresse dans un autre domaine, expliquai-je. Son assimilation du langage se développe si vite ces temps-ci que je suppose que c'est à cela qu'il réagit. Dans le passé, lorsqu'il a eu ce comportement, j'ai tout essayé pour le pousser à manger, mais j'ai fini par comprendre. Rien n'y fait, sinon la patience et le temps. Dans une semaine il recommencera à se nourrir normalement.

— S'il ne mange pas, répondit Robert, il n'aura pas de collation. La seule façon pour qu'il comprenne qu'il ne peut pas manipuler les gens, c'est de lui montrer que la manipulation ne marche pas.

— Il n'essaie pas de manipuler les gens, dis-je posément. Il régresse simplement dans un domaine quand il se développe dans un autre. J'ai déjà essayé la méthode que vous préconisez, et je peux vous assurer qu'il ira jusqu'à la sous-alimentation avant d'accepter d'avaler quoi que ce soit.

— Très bien.

Je tournais les talons pour partir quand je me souvins d'un détail et fis volte-face de nouveau, juste à temps pour surprendre Robert en train de grimacer à l'attention de l'éducatrice-assistante, comme s'il voulait dire : « En voilà une qui est vraiment timbrée ! » Je fus ébahie par cette attitude. J'étais habituée à un minimum de considération de la part des éducateurs de l'école, et je ne m'attendais certes pas à être prise à la légère par la nouvelle équipe.

Je traînai dans les parages de l'école et discutai avec d'autres mères tandis que Renée jouait sur les pelouses. A dix heures je jetai un coup d'œil dans la salle de classe de Tony par une fenêtre, pour voir comment il se comportait au moment de la collation.

Robert posait de petits bols en plastique remplis de macaronis au fromage devant chaque enfant.

« Parfait, me dis-je. Tony adore les macaronis au fromage. »

Certains enfants se servaient de leur cuillère pour manger. Mais la plupart prenaient la nourriture dans leurs mains et l'approchaient assez approximativement de leur bouche. Tony contempla son bol et se mit à hurler. Robert lui plaça la cuillère dans la main, mais Tony la lâcha aussitôt. Le pauvre paraissait complètement paniqué. Je compris qu'il mourait d'envie de manger ses macaronis au fromage, mais qu'il ne savait pas comment s'y prendre. Robert lui enleva son bol, en jeta le contenu dans la poubelle et mit le récipient dans l'évier.

— Je crois que tu ne mangeras pas tant que tu n'auras pas appris toi-même comment faire, dit-il à mon enfant.

J'étais furieuse, mais je n'ai jamais été du style à faire un esclandre si je peux l'éviter. Aussi m'adossai-je contre le mur du bâtiment pendant un moment, avec un sentiment aigu d'échec. Mais bientôt une solution me vint à l'esprit. Je décidai de transférer Tony dans une classe dirigée par un éducateur ayant travaillé avec Janeen, donc sachant comment travailler en corrélation avec les parents. L'autre classe n'acceptait que des élèves ayant montré un développement général plus avancé, mais déjà Tony se comportait de façon plus élaborée que durant l'été. Son langage s'était développé à un point tel que de toute façon il n'avait plus sa place dans une classe d'enfants non-parlants. Il avait toujours appris en imitant, et déjà il commençait à grogner et à marcher d'un pas raide comme ces enfants plus retardés que lui. Avec son mélange d'enfants handicapés et d'enfants non handicapés, l'autre classe lui conviendrait à merveille.

J'allai voir la directrice-adjointe pour lui proposer cette solution. Elle organisa une réunion avec Robert, le thérapeute du langage, le thérapeute moteur, elle et moi. Les autres spécialistes déclarèrent qu'ils ne jugeaient pas Tony apte à s'intégrer dans la classe supérieure.

— Je ne suis pas d'accord, leur dis-je. Il n'est plus aussi apeuré qu'avant, et il apprend très bien au contact d'enfants normaux.

— Il va régresser, affirma Robert. Il a besoin d'une classe d'un niveau moins difficile, et de plus de surveillance particulière.

Je maintins ma position, et la directrice-adjointe finit par trouver un compromis : Tony irait dans la classe supérieure une matinée par semaine. L'éducatrice-assistante de la classe de Tony l'accompagnerait, tandis que je la remplacerais. Durant toute la matinée l'assistante surveillerait Tony et noterait scrupuleusement son comportement. Puis elle ferait de même à son sujet une autre matinée de la semaine, dans la classe préparatoire spéciale. Après deux mois ses notes seraient comparées et une décision prise sur la meilleure affectation possible pour Tony. Tout cela me paraissait extrêmement compliqué, mais j'étais disposée à accepter ce compromis.

Durant cette période je reçus de l'éducateur et des thérapeutes d'autres indications qui me hérissèrent. A une réunion entre éducateurs et parents, je remarquai que dès que je mentionnais un progrès de Tony, quelqu'un ajoutait immédiatement :

— Oh oui, c'est *moi* qui le lui ai appris.

A la fin de la réunion, l'un ou l'autre des éducateurs s'était targué de tous les progrès de Tony dont je me considérais l'instigatrice. Je commençai à me demander si je faisais partie de l'équipe ou non.

Ils me demandèrent si je voulais travailler à lui apprendre à être propre. Je répondis par la négative, ajoutant que j'avais l'intention de régler ce problème à la maison. Etait-ce mon imagination ou vis-je toutes les mâchoires se crisper ? J'aurais juré qu'ils échangeaient de rapides coups d'œil de connivence. J'avais l'étrange impression que ces gens voulaient prendre possession de mon enfant. « Ils ne veulent que son bien, me raisonnai-je. Ils sont jeunes et n'ont pas d'enfants à eux. Le seul problème est qu'ils veulent trop aider Tony. Ils pêchent par excès de zèle. Avec le temps ils comprendront que je ne suis pas leur ennemie. Restons calme. »

Mais, avec le temps, la situation ne fit qu'empirer au lieu de s'améliorer. Le comble survint quand ils décidèrent d'apprendre la propreté à Tony. Je jouais mon rôle d'éducatrice-assistante depuis plusieurs semaines déjà, et j'avais vu comment Robert s'efforçait d'apprendre la propreté à d'autres enfants. Il asseyait l'enfant sur le pot puis lui lisait une histoire ou le maintenait passif d'une autre manière jusqu'à ce que le bambin fasse au moins une partie de ses besoins. Alors Robert le récompensait en le complimentant et en l'embrassant. Avec certains enfants, cette méthode engendrait des progrès indéniables.

Mais Tony ne faisait pas partie de cette catégorie. Il détestait rester assis sur le pot trop longtemps, qu'on lui fasse des lectures ou qu'on l'embrasse ou le complimente dans cette position. Je m'évertuais à travailler sur la base de ce que je savais des réactions de mon fils. Récemment il avait développé un intérêt obsessionnel pour deux choses : compter jusqu'à quatre et nommer les couleurs. Cent fois par jour il comptait les chaises de la cuisine.

— Lit bleu, lit bleu... Tapis jaune, tapis jaune... répétait-il lorsqu'il ne comptait pas les chaises.

Sachant cela de Tony, j'abordai le problème de la propreté avec la récompense ultime : des M & M's. Avant même de lui montrer le pot, je lui en donnais quatre, un de chaque couleur. Il adorait ce jeu. Il les comptait et nommait les couleurs encore et encore, avant de les mettre dans sa bouche. Familiarisé à cette récompense potentielle, Tony était prêt à coopérer, mais ce n'était encore que la phase préparatoire.

Tony acceptait mal les directives, qu'elles soient ou non verbales. La meilleure façon de faire consistait à lui montrer quelque chose et à le laisser imiter. Il avait déjà recommencé à se nourrir parce que, comme il l'expliquait fort bien :

— Baba fait ça, Tony fait ça.

Mais Renée n'était pas encore propre, elle non plus, et elle ne pouvait donc servir d'exemple.

J'emmenai Tony dans les toilettes, m'assis sur la cuvette et urinai. Puis j'installai Tony sur son pot et lui dis :

— Maman fait ça, Tony fait ça.

Mais être assis sur son pot le terrifiait. Je n'avais pas prévu qu'il pourrait en faire un blocage. Je réfléchis à ce nouveau problème le restant de la journée.

Le lendemain je recommençai, mais cette fois je fis à la manière d'un garçon, en me tenant aussi près de la cuvette qu'il m'était possible. Face au problème, la présence de Rich à la maison ne m'aurait pas déplu. Néanmoins ma démonstration porta ses fruits. Durant le restant de la journée, Tony utilisa les toilettes et compta ses M & M's. Mais il ajouta sa touche personnelle : il n'urinait que si je lui tenais la main.

Je savais pourquoi il ne parvenait pas à faire ses besoins correctement. Il y avait deux raisons à cela : tout d'abord, il n'était pas encore capable de contrôler ses besoins naturels. A l'évidence, ce progrès serait plus difficile tant qu'il aurait peur de s'asseoir sur le siège des toilettes. Pour le moment néanmoins cela ne posait pas trop de problèmes. Il déféquait toujours en une fois et de manière solide, ce qui permettait d'ôter aisément ses besoins de son pantalon. D'autre part mon Tony était un individu d'habitudes, et pour l'instant il avait celle d'utiliser son propre pot. Je savais qu'il faudrait l'habituer de nouveau pour qu'il accepte de se servir d'un autre. Une fois cela fait, il comprendrait que tous les équipements de forme similaires avaient la même finalité. L'école était le lieu parfait pour enseigner cet aspect de la propreté à Tony.

Le lendemain matin je lui donnai une bonne ration de jus d'orange plus une cannette entière de Coca-Cola, pour faire bonne mesure. J'espérais n'avoir à lui tenir la main que pendant une demi-heure à l'école, le récompenser avec des M & M's dès qu'il aurait correctement satisfait son besoin d'uriner, puis enfin retourner à la maison.

Par malheur, mon plan échoua lamentablement. La rigidité de Tony lui interdit d'appliquer ce qu'il avait appris sur un siège hygiénique inconnu. Nous réitérâmes le rituel encore et encore, mais il refusait d'uriner. A la fin de la classe, la vessie de Tony était si pleine qu'il ressemblait à une femme enceinte, se roulant sur le sol en criant. J'abandonnai et lui mis une couche pour le retour à la maison. Aussitôt il s'inonda des pieds à la tête.

Robert fit très peu de commentaires, mais il avait beaucoup de difficultés à masquer sa satisfaction.

Une heure plus tard, alors que je couchais les enfants pour leur sieste, la sonnerie du téléphone retentit. C'était la directrice-adjointe de l'école.

— Bonjour, Mary, dit-elle aimablement. Robert m'a demandé de vous appeler pour vous faire part de quelques petites choses. En premier, il a dit de ne pas vous soucier d'apprendre la propreté à Tony. Il s'en chargera. Et quand vous viendrez jeudi prochain pour remplacer l'éducatrice-assistante, il aura besoin de vous à huit heures et demie et non à neuf heures. Oh, autre chose encore : n'amenez plus Renée en classe. Elle distrait les autres.

Sauf lorsque je me dispute avec mon mari, je suis habituellement assez peu douée pour l'art de la repartie. Avant d'avoir compris qu'on venait de m'insulter, j'avais répondu très poliment et étais passée au sujet suivant. Mais c'en était trop. La colère qui m'envahit était telle que j'avais du mal à articuler.

— Renée ne distrait pas les autres, bredouillai-je. Elle est ce qui est arrivé de meilleur à cette classe. N'importe quel éducateur responsable tirerait avantage de la présence d'une enfant normale, dans sa classe. Robert fait tout pour me rendre la vie impossible, voilà la vérité. Et vous pourrez le lui dire, Tony est propre, merci. Autre chose : je ne viendrai pas à huit heures et demie jeudi prochain, parce que je ne viendrai pas du tout, pas plus que Tony.

A l'autre bout de la ligne, il y eut un court silence marquant la surprise, puis :

— Je pense qu'agir ainsi serait commettre une erreur grossière. Tony tire un grand bénéfice de sa thérapie ici, et si vous le retirez je suis certaine qu'il régressera.

— Très bien, alors faites-le passer dans la classe intégrée.

— C'est impossible. Il n'y a pas de place dans cette classe.

— *Quoi ?* m'écriai-je. Alors pourquoi ai-je passé mes matinées à remplacer l'éducatrice-assistante ? Pourquoi lui faites-vous essayer les deux classes ? Qu'aviez-vous l'intention de faire s'il s'était révélé que Tony se comportait mieux dans la classe intégrée ?

Elle éluda mes questions en bloc.

— Il ne se comporte pas mieux dans la classe intégrée. En fait, il ne s'adapte pas du tout. Nous estimons tous qu'il vaut mieux pour lui qu'il reste dans la classe préparatoire.

— Et moi j'estime qu'il doit être stimulé.

— Nous sommes des professionnels, dit-elle en manière d'argument définitif.

— Ah, vraiment ? Des professionnels de la pédagogie des enfants autistes ? Alors comment se fait-il que personne chez vous n'ait jamais lu Lorna Wing ou Josh Greenfield, ou n'importe quel autre auteur important sur l'autisme ? J'ai l'impression d'en avoir appris plus en six mois que vous en quatre années d'études. Et en ce qui concerne Tony, *je suis* la professionnelle, et il ne remettra pas les pieds dans votre établissement.

— Je suis désolée de l'entendre.

Je raccrochai. Lorsque Rich rentra chez lui, son téléphone sonnait déjà. J'étais impatiente de lui narrer ma journée.

— Eh bien ! commenta-t-il, tu m'as l'air dans une sacrée rogne !

— Richard, ils m'ont menti depuis le début. Ils n'avaient même pas de place dans la seconde classe.

— Je ne dis pas que tu as tort. C'est simplement que je ne t'ai jamais entendue envoyer quelqu'un sur les roses, moi mis à part.

Je ne pus que rire.

— Avec toi je m'entraînais. Aujourd'hui j'ai eu mon premier combat professionnel.

— On dirait que tu as gagné.

Mes amies du groupe de jeu furent heureuses du retour de Tony et des progrès qu'il avait accomplis pendant l'été. Elles ne l'avaient plus revu depuis l'époque où il était réellement impossible, et maintenant il se montrait très calme et observateur. Une expression intense sur le visage, il regardait, depuis un coin éloigné de la pièce, les autres enfants qui jouaient. Les plus grands étaient dans le bac à sable, et de temps à autre Seth lançait une poignée de sable en l'air et riait quand il retombait sur sa tête.

Pendant la demi-heure qui suivit, Tony approcha précautionneusement du bac à sable. Une fois qu'il s'y fut glissé, il prit une poignée de sable qu'il lança en l'air. Le geste n'était pas aussi précis que celui de Seth, mais il éclata quand même de rire. Son hilarité paraissait quelque peu forcée, comme dans le cas de l'écholalie, mais je savais qu'il imitait Seth dans le but de s'intégrer au groupe. Il réitéra l'opération plusieurs fois, restant calmement assis entre chaque tentative, comme s'il attendait que quelque chose se passe. Puis il trouva un camion et en fit tourner les roues.

Jamais il ne s'était trouvé volontairement aussi proche de ces enfants sans crier. J'étais très fière de lui, tout comme les autres adultes. Lorsqu'il fit rouler un jouet à friction dans la pièce, nous étions toutes au bord des larmes. Il était évident qu'il appréciait maintenant chaque instant passé ici.

— Il a besoin de ce genre d'ambiance plus d'une matinée par semaine, dis-je aux autres.

Nous étions toutes conscientes que notre expérience arrivait à son terme. Les enfants les plus âgés entraient à la maternelle, et certaines mères allaient prendre un emploi. Pat, ma meilleure amie, s'apprêtait à déménager.

Rich approuva mon jugement et prit une journée de congé pour me permettre de visiter les maternelles des alentours. Certains programmes ne conviendraient visiblement pas à un enfant comme Tony, parce qu'ils étaient trop ou trop peu structurés. Tony avait besoin d'une école où il trouverait une grande liberté de mouvements mais non de comportement. Quelques établissements semblaient remplir cette condition, mais leur direction n'avaient aucune envie d'accepter un enfant handicapé.

Je trouvai enfin l'endroit satisfaisant à mes exigences. C'était une grande bâtisse dont toutes les pièces étaient un enchantement pour un enfant. Chacune avait un thème : il y avait la salle d'habillage, la salle de construction, la salle de lecture, la salle des arts, etc. Un terrain de jeux spacieux offrait tous les aménagements imaginables ainsi qu'un bac à sable. Les enfants étaient libres de passer d'une salle à l'autre selon leurs envies. Mais au sujet du comportement, la discipline était stricte. J'en étais contente, car ma plus grande crainte était que Tony soit la victime de quelques enfants agressifs.

La directrice se montra également ferme avec moi. Elle m'expliqua qu'elle garderait Tony aussi longtemps qu'il ne demanderait pas plus de soins et d'attentions que les autres.

— Il ne serait pas équitable pour les autres que je sois accaparée par un seul.

Tony fut accepté dans le programme du matin, trois jours par semaines.

Pendant un mois et demi, tout parut aller pour le mieux. Tony sautait joyeusement de la voiture lorsque nous nous arrêtions devant l'école le matin. Il ne parvenait pas à rester assis pour écouter les histoires qu'on lisait aux enfants, mais cela ne constituait pas un problème puisqu'il n'y était pas contraint. En fait il passait le plus clair de son temps dans le bac à sable ou à jouer dans la salle avec les cubes en bois. Jamais il n'interférait dans l'occupation d'un autre enfant ou d'un adulte, et il n'avait pas de crises non plus.

Et soudain un nuage parut à l'horizon. Le rythme de ses besoins naturels passa de l'après-midi au matin. S'asseoir sur le siège des toilettes le terrifiait toujours, et à la maison il me prévenait en disant « Po-po » quand une envie pressante le gagnait. Je me précipitais pour lui mettre une couche et le nettoyais cinq minutes plus tard, ce qui n'était pas très difficile car ses déjections étaient toujours solides.

La première fois que cela lui arriva à l'école, Tony n'avertit personne. Il commença simplement à sentir mauvais. La directrice me téléphona à la maison et me demanda de venir le chercher. L'incident se répéta ensuite avec régularité. Vers dix heures et demie à l'école, Tony commençait à sentir mauvais et je devais réveiller Renée de sa sieste pour aller le chercher. Je demandai si quelqu'un ne pouvait pas simplement baisser son pantalon et jeter ses besoins dans les WC, mais l'école s'y refusa.

— Nous n'acceptons pas les enfants qui ne sont pas propres, et nous ne pouvons laisser Tony faire exception. S'il doit rester ici, c'est à vous d'endosser la responsabilité de ses oublis.

Je redoublai d'efforts pour lui apprendre la propreté à la maison, mais sans succès. L'envoyer à l'école avec des couches n'arrangeait rien, je recevais toujours le coup de fil comminatoire.

Finalement un jour je répondis par la négative lorsqu'on me téléphona :

— Renée a besoin de dormir, et je ne viendrai que lorsqu'elle se sera réveillée.

Environ une heure plus tard, je passai l'entrée arrière de l'école et trouvai Tony dans son coin préféré du bac à sable, mais cette fois, au lieu de sembler heureux, il avait l'air misérable et était en sueur. Ses besoins maculaient ses jambes et ses chaussures. Des mouches tournaient autour de lui, et des enfants les imitaient de plus loin. Un gamin chantonnait :

— Tony pue ! Tony pue !

Je pris la main de Tony et l'emmenai vers la voiture.

La directrice m'approcha.

— Je sais que c'est difficile... commença-t-elle.

Je l'écartai de mon chemin. Je pleurais moi aussi et je ne voulais pas qu'elle le voie.

— Non, vous ne savez pas, dis-je sans la regarder.

Nous ne retournâmes jamais dans cet établissement.

Cette fois je ne pouvais pas me vanter d'avoir gagné auprès de Rich. Tony et moi avions perdu. Non seulement il n'allait plus dans une école convenable, mais la directrice ne pouvait être incriminée. J'avais accepté ses conditions, puis j'avais espéré qu'elle voudrait bien les enfreindre.

Et je me demandais si je ne devrais pas me battre toute ma vie pour Tony. Il semblait bien que ce serait le cas. Pourquoi ne pouvais-je pas avoir un enfant comme tous les autres ?

CHAPITRE 10

Si la théorie de Janeen voulant que le soutien aux parents profite à l'enfant est correcte, alors je dois assurément remercier le Dr Bill Christensen. Il était spécialiste des problèmes respiratoires au Lovelace Hospital où je travaillais en tant que simple infirmière. Nous nous connaissions depuis mon passage à la Lung Association, mais uniquement de façon professionnelle. Néanmoins je savais qu'il avait perdu un fils de trois ans à la suite d'un problème cardiaque, quelques années auparavant.

Je me souviens encore du jour où l'enfant mourut. A l'époque j'étais enceinte de Tony, et j'avais rendu visite à une amie qui venait d'accoucher d'un garçon. Son mari était entré dans la chambre après mon arrivée.

— Vous avez appris la nouvelle? Le fils du Dr Christensen est décédé.

Mon amie et moi nous étions regardées, pour aussitôt détourner la tête. Ni elle ni moi ne désirions lire dans les yeux de l'autre la peur soudaine qui nous étreignait.

A présent je n'étais plus infirmière spécialisée, et mon rôle se bornait à surveiller les moniteurs cardiaques rassemblés dans une salle d'infirmerie très fréquentée. Lorsqu'il me reconnut la première fois, il me salua pour le moins bruyamment :

— Je ne peux pas croire que vous travailliez ici ! s'exclama-t-il. C'est en dessous de vos qualifications !

Je baissai la tête, très embarrassée. La moitié de mes collègues étaient dans la salle, à préparer les traitements des patients.

— Et moi je ne peux pas croire que vous me disiez cela, Dr Christensen, murmurai-je.

Mais il n'en avait pas fini.

— Lors de notre dernière rencontre, vous étiez partie pour une carrière de crack ! Vous faisiez des conférences devant une centaine de personnes, les chaînes de télévision venaient vous interviewer... Que s'est-il donc passé ?

Je rougis violemment.

— Je vous en prie, l'implorai-je, arrêtez. Je travaille ici parce que j'ai besoin de cet emploi. Et d'ailleurs, il n'y a rien de dégradant à être simple infirmière.

Dieu merci, personne ne prit ses propos au sérieux. Le Dr Christensen était réputé pour ce genre de plaisanteries. Il était le boute-en-train de l'hôpital, un personnage haut en couleur parmi la masse de ces trop souvent tristes sires dénués d'humour appelés médecins. Grand et de physique agréable, il arborait souvent un sourire éclatant. Jamais il ne passait dans un service sans saluer tout le monde, patients inclus.

Au début je n'étais qu'une infirmière parmi toutes celles qui aimaient l'écouter plaisanter. Chaque fois que j'intervenais dans la conversation et parlais de mes enfants, je remarquais un changement dans son expression et la façon dont il se souvenait toujours brusquement d'une tâche urgente à accomplir. Je comprenais, et évitais autant que possible ce sujet.

Un jour que je discutais seule avec lui, je lui parlai des problèmes de Tony. Cette fois il ne se déroba pas. En fait il montra un grand intérêt et revint le lendemain avec des conseils de sa femme, qui était thérapeute du langage. Je suppose que jusque-là il croyait que mon plus gros souci était un problème de dents de lait qui perçaient. Mais dès qu'il se rendit compte que ce n'était pas le cas, nous devînmes très amis. C'était plus qu'une connivence dans l'épreuve, et nous évitions surtout de tomber dans la commisération. Il m'apportait la chose peut-être la plus importante qu'on pouvait m'offrir à cette époque : la possibilité de rire de ma situation.

Il s'arrangeait pour visiter le service les nuits où je travaillais, sous prétexte de se tenir au courant des derniers ragots de l'hôpital. Nous partagions donc quelques rumeurs qui circulaient dans les équipes de l'unité de pneumologie, puis nous nous racontions nos malheurs domestiques en riant à gorge déployée. Nous entrions fréquemment en compétition dans ce domaine et surenchérissions dans des anecdotes horribles à propos de nos enfants. Son autre fils, Eric, rivalisait avec Renée en ce qui concernait l'entêtement.

— Mais ça, ce n'est rien..., surenchérissions-nous à tour de rôle.

Notre humour était parfois si noir que certaines infirmières quittaient la pièce en secouant la tête avec incrédulité.

Mais le Dr Christensen savait très bien que, chaque fois que je riais, je me prouvais ma résistance aux épreuves traversées. Et il était assez fin pour sentir quand un problème était trop aigu pour qu'il puisse en plaisanter. Alors il s'asseyait et m'écoutait, comme s'il n'avait rien de mieux à faire. Il ne donnait pas de conseils, ne jugeait pas, mais me narrait ses propres expériences et les leçons qu'il en avait apprises, pour me laisser en tirer mon propre bénéfice.

Quand l'attitude assez négative de mes parents me troubla, il me décrivit le comportement de sa mère alors que son petit-fils se mourait. A la fin, elle avait insisté lourdement sur la possibilité de le sauver si on le mettait à un régime adéquat.

— Si seulement cela avait été aussi simple... dit le Dr Christensen avec tristesse.

Je compris alors que les grands-parents sont trop proches pour être vraiment positifs. Comme les parents, ils cherchent un bouc émissaire, et par là même une solution impossible.

Je n'eus jamais de relation sentimentale avec le Dr Christensen, comme certains le supposèrent, ni même le plus léger badinage. C'était simplement quelqu'un qui désirait qu'un peu de la sagesse qu'il avait si durement acquise serve à aider autrui. Pour moi, il était un cadeau du ciel.

Il se trouva que je travaillais la nuit suivant la matinée où Tony cessa d'aller à la prématernelle après l'incident du bac à sable. C'est une des très rares fois où j'apportais avec moi mes problèmes à l'hôpital. Je n'avais pourtant aucun mal à les laisser à la porte, de coutume. Je me sentais heureuse à mon travail, autant que respectée, et je ne voyais aucune raison d'y changer mon image. La dernière chose que je demandais à mes collègues était bien de me prendre en pitié.

Mais ce jour-là, entre le moment où j'étais allée chercher Tony à l'école et mon départ pour l'hôpital, je n'eus pas le temps de me remettre de mon humiliation et de ma colère. Je préparais les médications quand quelqu'un me dit :

— Ça n'a pas l'air d'aller ce soir. Tu veux en parler?

Je ne pus me retenir davantage. Je bafouillai toute mon histoire, tout en me détestant à chaque seconde de laisser transparaître mes problèmes personnels.

Et le Dr Christensen arriva. Avec son habituelle compréhension, il ne s'attarda pas, pour ne pas prolonger mon embarras. Pour la première et dernière fois de notre relation, il me donna un conseil.

— Allez à la Congregational Preschool de Lomas & Girard demain matin. Ils ont accepté mon fils alors qu'il agonisait. Ils accepteront Tony.

Sans son intervention, je n'aurais même pas eu le courage d'essayer un autre établissement pour Tony. Mais grâce au soutien tonique du Dr Christensen, je décidai de faire une nouvelle tentative.

Le lendemain matin, j'entrai avec Tony dans la Congregational Preschool. C'était un petit établissement n'abritant que trois classes, avec un terrain de jeu agréable. Comme son nom l'indique, il se trouvait dans une grande et belle église.

Je pénétrai dans une des salles de classe et demandai la directrice. Une femme d'âge moyen, au sourire chaleureux, me répondit :

— C'est moi. Que puis-je pour vous?

Je lui expliquai que je cherchais un établissement préscolaire pour mon fils, et elle m'invita aussitôt à en discuter devant une tasse de thé, dans son bureau.

— Ce n'est pas un enfant facile, lui dis-je. Les médecins le jugent retardé et atteint d'autisme, mais parfois je ne peux pas le croire. Il joue très bien avec sa jeune sœur et il est capable de progresser près d'elle. Mais il ne peut toute sa vie durant ne parler qu'à une seule personne. Il faut qu'il étende ses contacts et connaisse d'autres enfants normaux. Après un temps, il pourrait certainement se référer à eux aussi. Mais pour l'instant il crie et pleure très facilement et il est difficile de l'arrêter... Et il a certaines manies assez bizarres, comme vous pouvez le constater.

Je ne voyais aucun intérêt à tracer de Tony un portrait idyllique s'il devait se faire encore exclure d'un établissement dans un avenir proche. Je préférai exposer la situation telle qu'elle était. Nous contemplâmes toutes deux Tony, avec son visage tout de douceur, qui soufflait frénétiquement dans la paume de sa main.

— J'aimerais beaucoup le prendre chez nous, dit-elle. Nous avons des éducatrices-assistantes qui pourront le faire sortir de la classe et s'occuper de lui s'il se met à pleurer. Oui, je suis certaine que nous pourrons nous occuper de lui. Nous avons déjà eu des enfants handicapés, et ça s'est très bien passé.

Je me rendis soudain compte qu'elle cherchait à me persuader de lui confier Tony, comme si elle était en compétition avec d'autres écoles! Comme si je leur avais fait une faveur en les choisissant! J'étais ébahie.

— Et si je l'inscrivais pour la prochaine année scolaire et le gardais à la maison en attendant? D'ici là il devrait être encore plus réceptif.

— Ce serait parfait, me répondit-elle sans cesser de sourire. Nous l'attendrons avec impatience.

Au moment de partir, je repensai au Dr Christensen et le mentionnai.

— C'est lui qui m'a dit que vous accepteriez Tony. Il m'a dit que son fils avait été chez vous pendant quelque temps...

— Oui, fit-elle aussitôt. Le petit Anthony Christensen. C'était un bambin vraiment adorable.

— Anthony? répétai-je, le souffle coupé. Il se prénommait *Anthony* également?

Elle acquiesça, et je sortis rapidement de l'établissement avec Tony. Dans la voiture, je restai un moment sans bouger, éberluée par la révélation. Rien d'étonnant à ce qu'il ne mentionnât jamais le prénom de son fils. Rien d'étonnant à ce qu'il se montrât aussi concerné par Tony. Je ne l'en admirai que plus.

Si le Dr Christensen n'avait rien fait de plus que de m'envoyer à la Congregational Preschool, il en aurait déjà fait énormément. Du jour où Tony entra dans cet établissement, il fut traité comme un roi. Chaque membre de l'encadrement dont il bénéficia durant ses trois années de présence se comporta envers lui avec l'attention d'une grand-mère à l'ancienne mode. Non que les enseignants fussent âgés, mais ils montraient cet amour irrationnel qui fait s'émerveiller les parents et les grands-parents au moindre progrès comme s'il s'agissait de la découverte de la pénicilline. Et ils faisaient face aux situations comme je le leur recommandais. Nous n'eûmes jamais aucune raison de conflit. Ils se sentaient privilégiés de travailler avec Tony, et je me sentais privilégiée qu'ils le fassent.

A l'approche de Noël, les progrès de Tony se firent très encourageants. Il s'alimentait lui-même, dormait toute la nuit et était propre. A présent lui et Renée se suivaient en marchant, et non plus à quatre pattes. Ils parlaient tous deux par courtes phrases. « Tony va hors » signifiait que Tony voulait sortir, et « Baba va voir voiture » que Renée désirait une promenade en automobile. Lorsque Rich et moi nous passions les enfants en début et fin de week-end, les nouvelles que nous échangions à leur sujet étaient plus souvent bonnes que mauvaises. Au lieu d'abréger nos rencontres, il nous arrivait de nous asseoir ensemble quelques minutes et de bavarder pendant que les enfants jouaient.

Finalement Rich formula l'idée d'une réconciliation. J'acceptai de tenter notre chance. Ce n'était pas dans le style « tombons-l'un-dans-les-bras-de-l'autre » — qui n'aurait d'ailleurs eu que peu de chances de réussir —, mais plutôt du style « d'accord-tant-que-tu-ne-te-comportes-pas-comme-avant ». Il ne nous fut pas nécessaire de gratter beaucoup sous la surface pour nous rendre compte que nos motivations tenaient autant à des problèmes financiers qu'à la peur d'un Noël solitaire.

Les vacances se passèrent bien. Nous achetâmes un *water-bed* à Tony et il quitta enfin son berceau. A présent il dormait vraiment comme un bébé. Renée eut en cadeaux un petit wagon rouge et plus de poupées qu'elle ne pouvait en compter ; Tony mit tous les disques possibles, de *Y.M.C.A.* de Village People aux *Trois Petits Cochons* sur son électrophone Fisher-Price.

Rich et moi appréciâmes beaucoup la façon dont les enfants profitaient de Noël, et nous fîmes de notre mieux pour nous montrer polis l'un envers l'autre. Après Noël, nous commençâmes à préparer deux événements heureux. Premièrement, Tony retournerait au « Programme pour enfants » afin de passer une nouvelle évaluation approfondie, et le fait de prévoir ces tests aux alentours de son anniversaire rendrait plus aisée la comparaison entre son âge mental et son âge physique. Nous avions hâte d'éblouir les examinateurs par les performances du nouveau Tony. Bien évidemment, leur diagnostic changerait lorsqu'ils constateraient qu'il était maintenant capable de parler et réagissait à l'influence de sa sœur.

Deuxièmement, nous allions préparer pour son anniversaire une fête gigantesque. Nous avions déjà prévu d'inviter vingt-six enfants et dix-sept adultes. Les deux premiers anniversaires de Tony avaient été très amusants pour ses invités, mais il était à peine sorti de sa chambre. Cette fois nous allions convier tout le monde pour fêter l'émergence de Tony hors de tout ce qui l'avait jusqu'alors étouffé.

Les tests d'évaluation allèrent plus vite que la première fois. Tony ne passa que deux matinées au Centre, une avec Renée, et une sans elle. Lors de cette dernière elle resta assise sur mes genoux et contempla son frère à travers le miroir sans tain tandis qu'il exécutait ses tests avec le spécialiste du langage. Un haut-parleur était branché pour nous permettre d'entendre ce qui se passait dans la pièce, et nous savions si Tony répondait correctement ou non. Renée et moi nous trouvions à moins d'un mètre de Tony, et ma fille avait du mal à comprendre qu'il pût ignorer notre présence.

Ses tests consistaient par exemple à reconnaître un chat dans une page comportant six images différentes. Il donna de bonnes et de mauvaises réponses. Il était évident que Renée se serait moins souvent trompée que lui car elle sautillait d'excitation sur mes genoux en babillant :

— Celle-là, Tony, *celle-là!*

Tony se débattait avec un test que sa sœur aurait

passé sans difficulté. Mais il ne se débrouillait pas si mal.

Cette fois encore il obtint de meilleurs résultats avec les puzzles et les formes géométriques. Lorsqu'on plaçait une poupée devant lui, il disait « Non » et la repoussait, mais il ne la jetait plus à terre comme précédemment. De temps à autre il sautait en bas de sa chaise et courait monter et descendre une série de marches disposées dans un coin pour évaluer la coordination motrice des enfants. Après avoir couru quelques minutes, il était capable de revenir s'asseoir et de se concentrer à nouveau sur ses tests. Vers la fin de la séance je fus autorisée à le rejoindre dans la pièce et à lui représenter certaines des questions qu'il avait ratées, juste au cas où il répondrait mieux à ma sollicitation qu'à celle de l'examinateur. Il gagna ainsi quelques points supplémentaires.

Ensuite on l'amena avec sa sœur dans une salle de jeux meublée pour les simulations. Il y avait une cuisine, une station-service et une épicerie. Après un rapide tour d'inspection, Renée et Tony s'installèrent dans le coin reproduisant une cuisine. Tout y était à leur échelle, y compris le réfrigérateur, la cuisinière et l'évier. Tout un ensemble en plastique de faux aliments, vaisselle et ustensiles de cuisine y étaient rangés. Il y avait même une table et des chaises, ainsi qu'un bébé en plastique dans une chaise pour enfant.

Renée donna le rythme en prenant des hot-dogs dans le réfrigérateur et en les « faisant chauffer » sur la cuisinière. Puis elle les tendit à Tony avec l'instruction de « nourrir bébé ».

— Nourrir bébé, répéta Tony en posant le bol contenant les hot-dogs sur la tablette de la chaise haute.

— Non, non, le réprimanda Renée. Nourrir bébé.

Et elle fit le geste de porter des cuillères de hot-dogs à la bouche de la poupée.

Tony fit de même quelques instants, puis il alla jusqu'à l'évier et fit mine de se laver les mains dans l'eau imaginaire. D'un coin de la pièce, j'essayai de l'orienter :

— Lave la vaisselle, Tony. Tu peux laver la vaisselle ?

— Vaisselle, dit Tony en mettant celle-ci dans l'évier.

Mais il continuait de laver ses mains plutôt que la vaisselle.

— Oh, bébé dodo, dit Renée, et elle se mit à bercer la poupée.

Lorsqu'elle en eut assez, elle mit le bébé au lit. Elle avait hâte d'essayer le grille-pain qu'elle avait repéré tandis qu'elle berçait le « bébé ». L'appareil projeta en l'air deux tranches de pain en plastique, pour le plus grand plaisir de Tony et Renée.

— Fais des toasts, commanda Renée à son frère.

Tony obéit avec enthousiasme. J'étais contente car ils montraient très bien le genre de jeu qu'ils partageaient à la maison. Une semaine plus tard, Tony revint au Centre pour une évaluation de ses capacités motrices. Nous rencontrâmes un spécialiste dans une grande salle ressemblant à un gymnase, où Tony essaya de lancer un ballon, de marcher selon une ligne droite et de gravir des escaliers. Il ne fit rien de façon parfaite, mais il ne rata aucun exercice non plus, et il s'amusa beaucoup.

Enfin Rich et moi rencontrâmes les spécialistes réunis pour nous donner les résultats des tests. Le souvenir que nous gardions de la première « réunion d'interprétation » nous rendait un peu nerveux, mais nous étions plutôt confiants. Les spécialistes avaient été impressionnés durant toute la durée des tests.

Tout comme l'année précédente, la réunion commença par une litanie de résultats chiffrés dont le sens nous échappait en grande partie. J'attendais avec anxiété les résultats importants. De combien avait-il progressé mentalement pendant l'année écoulée ? Dix-huit mois ? Plus, peut-être ?

— Depuis l'évaluation approfondie de l'année dernière, dit Carol, la spécialiste du langage, il a gagné cinq mois. C'est plus que ce que la plupart d'entre nous n'espérait. En général, nous nous estimons chanceux en constatant une avancée mentale de deux mois par année civile.

De nouveau les cloches carillonnèrent dans mon crâne. « Cinq mois, cinq mois, cinq mois... » résonnait dans ma tête, brouillant mes facultés de compréhension.

— Mais cela augmente son retard, dis-je enfin, lorsque j'en fus capable. Cela signifie qu'il a perdu sept mois de plus...

— C'est exact, dit Carol. Mais pour un enfant avec un tel diagnostic, un gain de cinq mois est un progrès remarquable.

— Un tel diagnostic ? intervint Rich. Autiste et retardé ?

Carol acquiesça.

— Il est aisé de croire qu'un enfant de trois ans agissant comme un enfant de dix-huit mois est presque normal. La différence entre ces deux âges n'est pas très grande. Mais en grandissant, elle s'accentue un peu plus chaque année.

Nous étions trop défaits pour répondre, et Carol comprit notre déception.

— Je suis désolée, dit-elle doucement.

Sur le trajet du retour, Rich et moi n'échangeâmes pas un mot.

Plus tard, lorsque le compte rendu écrit de l'évaluation nous parvint par courrier, je pus mieux en saisir le sens. Les cloches ne carillonnaient plus dans ma tête tandis que je relisais les conclusions encore et encore. L'information la plus importante était contenue dans le paragraphe « Expression orale et parole » :

« L'élocution de Tony a une qualité d'intonation naturelle, mais les mots ne sont pas articulés clairement. J'ai eu l'impression que Tony prononçait les phrases comme un ensemble multi-syllabique et que l'intelligibilité réduite de son expression orale était due à une incapacité de modeler correctement le flux sonore plutôt qu'à des difficultés d'élocution. Tony a utilisé quelques expressions qui étaient peut-être générées spontanément (par ex : *ce papa, cette maman, c'est chaud, fini, encore et encore, fermer l'eau chaude, lumière éteinte).* Néanmoins, la majorité des expressions employées par Tony possédaient un caractère de performance simple. En clair, c'étaient des expressions préfabriquées qu'il associait avec l'objet ou le contexte, mais qui n'étaient pas comprises ni utilisées en dehors du contexte. Il a prouvé sa compréhension de nombreux mots, mais d'aucun terme actif ou locatif. Il se référait à des termes-étiquettes ou des indices de contexte pour réagir à certaines demandes. »

Une fois que j'eus assimilé ce que cela signifiait, je ne pus le contester. Je suppose qu'il faut être spécialiste du langage pour dépister une écholalie avancée. En grande partie, Tony répétait des phrases entendues, avec un délai de plusieurs jours, voire même plusieurs semaines, entre le moment où il avait entendu la phrase et celui où il la répétait. Maintenant qu'on me décrivait sa façon de faire, je pouvais voir que l'analyse était exacte.

L'ambiance à la maison se détériora considérablement. Rich et moi discutâmes très peu, hormis de sujets comme l'organisation de l'anniversaire ou d'autres détails pratiques.

La journée d'anniversaire elle-même se déroula bien. Les enfants s'amusèrent dans le jardin, et les parents les prirent en photo. Tony allait ici et là, ni impressionné ni apeuré par le tout.

John, le meilleur ami de Rich, me serra dans ses bras avec affection et me dit :

— Félicitations.

— Merci, répondis-je sans avoir la force de le regarder dans les yeux.

Le matin même, Rich et moi avions décidé qu'il redéménagerait. Etrange, combien l'image que nous nous faisions de notre couple était liée à celle que nous avions de Tony ! Si Tony n'allait pas bien, notre couple n'allait pas bien. Mais il suffisait que nous nous remémorions nos conversations durant la grossesse pour que cette attitude s'explique :

— Si elle a tes yeux et mon nez, elle sera très belle.

— S'il a ton talent musical et mon ambition, il sera rock-star.

Les parents espèrent avoir un enfant qui reflétera leur union dans ce qu'elle a de meilleur. Mais si ce reflet ne correspond pas à leur attente, l'union se considère de même, ratée comme le prouve son émanation, donc une mauvaise union. L'image de l'enfant ridiculise l'union qui l'a créé.

Il fallut du temps pour que notre souffrance soit remplacée de nouveau par la joie d'élever Tony. Quand cela arriva, Rich avait loué un deux-pièces près de son lieu de travail. Peu après, notre procédure de divorce arriva à son terme.

Pourtant nous avions retenu quelque chose de la seconde évaluation de Tony. S'il devait jamais maîtriser l'outil de la communication humaine, il lui fallait tout d'abord apprendre à utiliser ses possibilités et son don d'imitation ; les statistiques sur le prélangage prouvent que les enfants doivent progresser avant l'âge de deux ans s'ils veulent arriver à un résultat dans la communication orale.

Tony avait plus de trois ans et ne montrait que quelques possibilités dans ces deux domaines : il était capable d'utiliser une cuillère pour se nourrir, et parfois il savait se servir de sa main comme d'un outil pour faire fonctionner un jouet. Les mots également sont des outils, mais infiniment plus compliqués à utiliser qu'une pelle ou une cuillère. Tony devait maîtriser des outils solides avant ceux beaucoup plus intangibles que sont les mots. Je lui achetai donc un seau et une pelle, puis passai un après-midi avec lui dans le bac à sable à lui en montrer le maniement. Mais Tony préférait laisser couler lentement entre ses doigts une poignée de sable, en contemplant la fuite des grains. J'emprisonnai ses deux mains dans une des miennes, et de l'autre utilisait la pelle, mais Tony se mit à rouler des yeux.

— Regarde Maman, l'implorai-je. Maman fait, Tony fait.

Mais cela ne donna rien.

C'est alors que Renée s'éveilla de sa sieste. Elle parut enchantée de me voir manier la pelle, et plus enchantée encore de le faire elle-même.

— Maman fait, Baba fait, me dit-elle joyeusement.

Tony s'arrêta et l'observa. Renée lui tendit la pelle.

— Tony fait? proposa-t-elle.

A tour de rôle ils emplirent des seaux de sable avec la pelle. Un autre échelon était gravi, grâce à l'aide de Renée Randazzo.

Jouer à faire semblant, l'autre néo-langage, enseigne à l'enfant le concept de « représentation ». Simuler, c'est représenter quelque chose qui n'a pas de réalité. Si un enfant rampe en miaulant, il fait semblant d'être, ou représente, un chat. Le mot « chat » représente lui aussi la chose réelle.

Je n'étais pas assez sotte pour essayer d'apprendre à Tony à faire semblant alors que j'avais à domicile une enseignante-née comme Renée. Si j'avais rampé en miaulant, les deux enfants auraient quitté la pièce en me jetant des regards dédaigneux. Mais si je leur donnais les éléments, Renée les assemblerait et je pourrais aller faire la vaisselle.

Je décidai de m'inscrire à un atelier proposé par le « Programme pour enfants » et qui apprenait aux parents et aux éducateurs préscolaires comment encourager le langage en favorisant l'imagination de l'enfant. Durant ce stage j'appris que jouer à faire semblant est souvent important pour les enfants, et pas seulement pour ceux qui souffrent d'un handicap. Je visionnais des films-vidéos sur lesquels des enfants parfois âgés de neuf ans et qui étaient très médiocres à l'école pouvaient répéter indéfiniment les mêmes gestes avec un camion ou une fusée, sans jamais rien varier de leur comportement.

La chose la plus importante que j'appris dans cet

atelier fut comment proposer ces jeux de représentation. Carol, la thérapeute spécialiste du langage qui avait effectué l'évaluation de Tony, se servit de lui et de Renée comme exemples. J'en fus flattée. Elle suggéra que nous utilisions des occupations usuelles, comme aller acheter des chaussures, pour expliquer chaque action à l'enfant à mesure qu'elle se produisait.

Dans le magasin, par exemple, je devais dire :

— La dame regarde la taille de mon pied, pour trouver une chaussure assez grande.

Dès notre retour à la maison, j'alignais des chaises et arrangeais un tabouret d'essayage, puis je sortais toutes les chaussures que nous possédions. Renée prenait la direction du jeu, et Tony suivait.

L'étape suivante consistait à diminuer le nombre d'ustensiles nécessaires au jeu. Peu à peu disparurent le tabouret, puis les chaussures. Bientôt Tony et Renée n'avaient plus besoin que d'une chaise où s'asseoir.

— Veux des chaussures bleues, disait l'un.

L'autre prenait des souliers imaginaires et répondait :

— Comme ces chaussures ?

L'aide de Renée n'était pas toujours le fruit du hasard. Bien sûr, en tant qu'enfant elle n'était motivée que par son désir d'avoir Tony pour partenaire de jeu. Mais en grandissant elle avait appris à aimer Tony, et elle voyait une sorte de défi à l'aider dans ses progrès. Succès comme erreurs lui montraient comment atteindre son frère, et elle affinait son approche quotidiennement. Les mois passant, elle transformait chacun de ses propres progrès en une leçon pour Tony. Qu'elle fît preuve d'une obstination certaine n'était pas un frein, bien au contraire. Cela lui était parfois nécessaire pour forcer les réticences de Tony.

Renée venait d'apprendre à reconnaître les chiffres de un à dix quand je l'observai qui s'évertuait à les enseigner à Tony, un jour que je rangeais des serviettes dans le placard du couloir. Les deux enfants se trouvaient dans la chambre de Tony, devant un grand poster illustrant chacun des chiffres : un éléphant, deux tigres, trois girafes, etc.

Quand j'entrai dans la pièce Renée désignait et nommait chaque chiffre, dans un effort évident pour montrer à Tony ce qu'elle savait. Il semblait vouloir l'écouter, mais en même temps il s'autostimulait en soufflant dans la paume de sa main, et Renée ne parvenait pas à ce qu'il se concentre. Après un moment elle le saisit par la chemise et lui cria au visage :

— To-nyyy !

Il lui accorda enfin toute son attention. Sans lâcher sa chemise, elle l'amena devant le poster, le planta devant les cinq singes et dit d'une voix forte :

— C'est un cinq, Tony. Tu vois, c'est un *cinq*.

— Oh, dit-il d'un ton surpris. C'est un cinq. Cinq singes. Un, deux, trois, quatre, cinq.

— Oui, fit Renée de son intonation la plus autoritaire. Et ça c'est un *quatre*.

Et elle entreprit de lui faire reconnaître les chiffres de un à cinq.

Aucun éducateur spécialisé au monde n'aurait pu faire preuve d'autant d'amour, de détermination et avoir des méthodes aussi créatives que Renée. En y réfléchissant bien, la mère de Tony n'en aurait pas été capable non plus.

Notre succès presque sans effort pour semer les germes du langage dans l'esprit de Tony œuvrait comme un réel stimulant pour moi. Je décidai de recommencer à écumer les bibliothèques à la recherche de nouvelles astuces qui nous rapprocheraient de notre but. J'avais déjà lu tout ce qu'offraient Janeen, la Society For Autistic Children et la bibliothèque publique de notre quartier. Mais je n'avais pas encore fouillé la grande bibliothèque municipale du centre-ville. Je profitai d'un samedi matin sans les enfants pour me rendre à cette dernière.

La plupart des ouvrages que j'y trouvai m'étaient déjà familiers par d'autres sources. Mais un livre me sauta littéralement aux yeux. C'était *L'Enfant autiste, ultime étranger*, du Dr Carl H. Delacato. Le titre me déconcerta et m'intrigua en même temps. Je n'avais jamais considéré Tony comme *l'ultime étranger*, mais en lisant la jaquette du livre je me rendis compte que ce n'était pas là non plus l'avis de l'auteur. Son but était d'aider les parents et les professionnels à comprendre ces enfants, en leur rendant ces derniers moins étrangers. J'empruntai le livre et rentrai pour le lire jusqu'à l'heure de partir à mon travail.

Je trouvais cet ouvrage tellement fascinant que j'éprouvai une certaine irritation à le lâcher quand il fut deux heures de l'après-midi. Mon travail terminé, je me hâtai de rentrer à la maison et restai éveillée toute la nuit, plongée dans le livre. J'avais du mal à croire que j'avais pu ne jamais en entendre parler jusqu'alors. Il aurait dû m'être conseillé le jour ou le diagnostic d'autisme avait été prononcé à propos de Tony. Et sa lecture devrait être obligatoire pour tous les éducateurs spécialisés et les thérapeutes.

Le livre fit pour moi trois choses que personne ni aucun autre ouvrage n'avait su faire. Il me donna une perspective historique des traitements appliqués aux maladies mentales, l'autisme en particulier. Il m'apprit à décoder les messages que Tony m'envoyait. Et il m'expliqua comment utiliser au mieux ces renseignements. Assise au milieu de la salle de jeux en pleine nuit, j'eus pour la première fois l'impression que je comprenais mon fils. Ce livre allait nous permettre de lui faire gravir les derniers degrés de l'échelle.

La mise en perspective historique m'aida beaucoup car elle me permit de saisir une partie de ce qui me frustrait et m'irritait tant dans mes rapports avec la communauté médicale et les éducateurs spécialisés avec qui j'avais des contacts obligés. Certes, ils étaient souvent inconséquents, il leur arrivait de se fourvoyer et parfois même de se tromper complètement, mais leur action était bien plus positive que celle qu'avaient dû subir les parents d'autistes seulement dix ans plus tôt.

Par exemple, il est aisé de critiquer la façon de traiter les déficients mentaux dans les centres spécialisés. Les gens voient ces établissements comme des endroits horribles où envoyer quelqu'un. Mais le premier, Bedlam, constituait historiquement la première tentative de traiter les déficients mentaux de façon humaine. Jusqu'alors, on les jugeait « possédés par le démon » et on les abandonnait dans les bois, quand on n'abusait pas physiquement d'eux.

La même chose est vraie en ce qui concerne Sigmund Freud et sa théorie de la psychanalyse. Nous plaisantons de concepts tels que « l'envie du pénis » comme si Freud n'y était pas du tout, mais il a pourtant été le premier à rechercher les causes de problèmes psychologiques touchant l'individu dans les premières expériences de sa vie. Pour une société qui accusait Satan ou les sorcières de se cacher derrière tous les maux, c'était là une véritable révolution.

Lorsqu'en 1943 Leo Kanner décrivit pour la toute première fois « autisme infantile précoce », il utilisa le raisonnement de Freud et jugea qu'un mauvais maternage provoquait cette déficience. Selon sa théorie, un comportement maternel froid, obsessionnel et mécanique engendrait un enfant qui refusait tout contact social. Il surnommait ce genre de mères des « mères-réfrigérateurs ». Bien sûr, je m'insurgeai contre cette position, jusqu'à ce que j'apprenne dans l'ouvrage du Dr Delacato que dans le passé non seulement on m'aurait accusée d'être la cause des problèmes de Tony, mais on m'aurait certainement envoyée au bûcher sous l'accusation de sorcellerie! Le fait que le public croie encore que l'autisme découle d'un manque d'amour est, en comparaison, bénin.

Le Dr Delacato me révéla que la science commence à peine à défricher les territoires inconnus des maladies mentales et de l'autisme, et qu'on ne peut lui en vouloir de ses défauts passés. La plupart des professionnels utilisent au mieux tous les renseignements disponibles dans ce domaine.

Par chance pour les mères, la dernière orientation des recherches sur l'autisme se concentre sur la recherche des causes psychologiques ; la théorie du Dr Delacato, basée sur son observation d'un grand nombre d'enfants, correspondait tout à fait à mes observations d'un seul, le mien.

Le Dr Delacato soutient que l'autisme est un problème neurologique et qu'il est possible de le soigner. Dans son ouvrage, il explique que les individus autistes « ne peuvent pas décanter les stimulations parvenant de l'extérieur à leur cerveau. Un ou plusieurs de leurs canaux d'admission sensorielle (vue, ouïe, goût, odorat ou toucher) est déficient à un quelconque degré. » Leur étrange attitude répétitive est une « tentative par stimulation répétée de normaliser le flux du canal ou des canaux en question. » Il poursuit en exposant trois façons dont ces canaux sont déficients dans le cas de l'autisme. Par surstimulation du cerveau, sous-stimulation ou stimulation parasitaire appelée « son blanc ». Puisqu'il y a cinq sens et trois possibilités de problèmes affectant chacun d'entre eux, le nombre des possibilités des problèmes sensoriels entraînant un comportement autiste s'élève donc à quinze. En étudiant et en décodant le comportement autostimulateur de l'enfant, on peut définir celles qui l'affectent.

Par exemple, un enfant qui reste assis face à un coin de mur et regarde fixement une goutte de salive entre son pouce et son index nous apprend que son canal visuel a besoin d'être protégé. S'il se retournait et parcourait la pièce du regard, son canal visuel serait surstimulé, avec pour résultat la confusion, l'anxiété et la douleur. Un autre enfant contemplera les sources lumineuses et battra des mains devant son visage pour tenter d'accroître le signal visuel que son cerveau perçoit de façon déficiente. Un troisième enfant frappera rythmiquement ses yeux de ses poings pour essayer de faire cesser le « son blanc » qui parasite son canal visuel, et donc son cerveau. Aucun de ces enfants n'est aveugle ou visuellement affaibli, en fait. Ce n'est pas la vision en elle-même qui est en question, mais la façon dont les messages visuels sont délivrés au cerveau et comment ils sont acceptés. En même temps qu'une tentative de normaliser les messages venus de l'extérieur, l'autostimulation de l'enfant est le message qu'il nous adresse de ce qui le handicape.

L'aspect rythmique de beaucoup de ces comportements est à la fois un moyen de stimulation efficace par sa fréquence et une sorte d'auto-hypnose qui permet de fuir un monde douloureux.

En lisant la liste des symptômes recensés dans ces cinq catégories par le Dr Delacato, je me rendis compte que Tony en possédait deux sur trois, et peut-être même les trois. Quand il hurlait et se cognait la tête, il essayait d'annuler les bruits. Son hypersensibilité aux bruits venait du fait que le canal était déjà surchargé. Tout ajout était si sonore qu'il entraînait une douleur. Combien de fois ne s'était-il pas jeté sur le sol en hurlant dès que le bacon commençait à grésiller dans la poêle, ou qu'un voisin faisait démarrer sa tondeuse, pour cesser aussi soudainement à l'arrêt du bruit? A présent je comprenais. Le seul son qu'il pouvait supporter était celui qu'il créait lui-même. La stimulation oculaire lui permettait d'annuler son ouïe et de se concentrer sur quelque chose de beaucoup plus agréable.

A l'évidence, sa vision était l'autre canal sensoriel affecté. Les battements de mains et les roulements d'yeux étaient une tentative d'accroissement de stimulation par ce canal, car le cerveau le percevait comme inadéquat... Tony regardait fixement les sources lumineuses et soufflait dans sa paume en remettant aussitôt sa main devant ses yeux pour la même raison.

Je me demandai si son sens du toucher était également affecté, puisqu'il avait repoussé tout contact physique d'affection depuis sa plus tendre enfance. Mais c'était peut-être par peur de tout bruit que j'aurais pu faire. Les battements de mon cœur auraient-ils suffi à l'affoler ? Il avait une attitude particulière envers ses vêtements, préférant depuis toujours les joggings aux jeans. J'en déduisis la possibilité qu'il fût aussi « sur la défensive » d'un point de vue tactile. Quoi qu'il en fût, le problème était en voie d'être réglé.

Je notai que Tony refusait la nourriture craquante et me demandai si cela avait à voir avec son sens du goût. Mais je compris vite que ce n'était là qu'un autre exemple de sa peur des bruits.

Cependant, appliquée à Tony, cette théorie souffrait de quelques contradictions. Il aimait les gâteaux secs, alors qu'ils craquaient. Il écoutait avec plaisir de la musique, or c'est un bruit. Il laissait Renée le distraire de ses roulements d'yeux. Néanmoins ces derniers points étaient des changements relativement récents dans son comportement, que j'interprétais comme la preuve qu'il luttait contre ce qui l'isolait et qu'il marquait des points.

Le Dr Delacato décrivait des exercices concernant les canaux endommagés. Nous les faisions déjà, mais à présent j'étais en mesure de comprendre l'aide qu'ils apportaient et je savais comment les améliorer. L'ouïe de Tony devait être protégée quand c'était nécessaire, mais stimulée par des sons qu'il tolérait, comme la musique, chaque fois que c'était possible. Quand il le portait, Tony enfonçait toujours son bonnet de ski sur ses oreilles dès que l'ambiance devenait bruyante. Nous prîmes donc soin que le bonnet soit toujours à sa portée. Je le laissai régler le volume de la télévision et de la chaîne stéréo, et lorsque le niveau sonore était hors de mon contrôle, je laissai Tony mettre mon stéthoscope sur ses oreilles, ce qui amoindrissait le volume et lui permettait de jouer un peu avec les sons. Il écoutait son corps, la machine à laver et tout ce qui pouvait l'intéresser. Et durant la nuit le ventilateur de fenêtre protégeait toujours son système auditif de chocs possibles.

Sa vision avait besoin de couleurs, d'action et de variété. Se balancer sur un rythme faisait bouger son environnement et se révélait plus bénéfique que de battre des mains. Les lumières du juke-box l'excitaient toujours et constituaient sans doute la raison pour laquelle il avait accepté la musique au début. Je lui achetai un aquarium qu'il contemplait en s'endormant, remplaçant ainsi avantageusement son comportement d'autostimulation nocturne. Et je pouvais maintenant l'emmener à l'aventure avec Renée, au zoo ou dans les jardins publiques, car je savais protéger son ouïe avec le bonnet de ski vert. Dans ces occasions, son agitation antérieure se transformait en ravissement.

Avant longtemps le comportement d'autostimulation décrut en fréquence. Son père et ses éducateurs lirent eux aussi le livre, et ainsi nous sûmes tous comment décoder son comportement. *L'Ultime Etranger* nous rendit Tony beaucoup moins étranger. J'apprenais son langage et il apprenait le mien. Ça en valait cent fois la peine.

CHAPITRE 11

Tony allait avoir quatre ans, et il était temps de le soumettre à une nouvelle évaluation. Des amis me suggérèrent de m'en passer, puisque les résultats me rendaient toujours malade, mais cette fois j'étais préparée. Je savais que les résultats obtenus seraient interprétés comme un progrès moindre que celui que je voyais, et que le pronostic resterait sombre. Je savais également qu'il pourrait se révéler faux. En conséquence j'abordai cette évaluation comme un moyen d'obtenir de nouvelles idées pour travailler avec Tony, et non avec l'optique que les conclusions seraient indiscutables. En fait je garde assez peu de souvenirs de cette évaluation, sans doute parce que je m'y étais moins investie émotionnellement que dans les deux précédentes. Afin de la résumer au mieux, je citerai donc le courrier qui accompagna les résultats chiffrés :

Chers Richard et Mary,

Nous avons beaucoup apprécié que vous nous ameniez Tony pour une nouvelle évaluation approfondie par notre équipe spécialisée dans les handicaps du développement.

Comme nous vous l'avons dit, la qualité des

résultats de Tony et de ses capacités comportementales sont beaucoup plus grandes que nous ne l'aurions jamais pensé. Je crois que nous sommes tous d'accord sur le fait que Renée exerce sur le développement de son frère une influence extrêmement positive. Nous ne pouvons que louer l'atmosphère de soutien que vous avez su entretenir autour de Tony, et nous ressentons un grand respect pour votre courage et votre ténacité à travers des périodes très difficiles.

*Vous nous avez demandé si nous qualifierions toujours Tony d'*autiste *si nous le rencontrions maintenant pour la première fois. Nous vous avons répondu que non, probablement. Ses progrès sont tels qu'il n'entrerait certainement plus dans cette catégorie. Cela ne signifie pas que nous ne nous soucions plus de lui, mais que nous reconnaissons les énormes progrès qu'il a accomplis. Certaines des activités qu'il maîtrise maintenant, comme ses jeux de simulation ou sa capacité à discuter, sont révélatrices d'un développement que nous n'aurions pu attendre d'un enfant autiste.*

Son développement cognitif n'a pas suivi le rythme de son développement émotionnel ou relationnel. Durant les deux dernières années nous l'avons vu rattraper dix mois de retard dans ce domaine. Cela signifie qu'à présent Tony fonctionne cognitivement comme un enfant moyennement à légèrement retardé. En clair, Tony aura besoin d'un suivi particulier lorsqu'il entrera à l'école.

Nous-mêmes avons apprécié la possibilité de suivre Tony au cours de ces deux années et nous sommes impatients de faire de nouveau son évaluation dans douze mois. Bien évidemment, nous apprenons nous-mêmes beaucoup grâce à lui.

Nous vous serions reconnaissants de nous faire

savoir si vous avez d'autres interrogations, ou si nous pouvons vous être utiles d'une autre façon.

Sincèrement,
Dr Edward Wolonsky
Dr Carol E. Janey.

A cette lettre se trouvaient jointes quatre pages détaillant les résultats de Tony aux tests individuels. Le seul conseil qu'on nous donnait était de continuer à agir comme nous le faisions.

Le lendemain soir, à l'hôpital, le Dr Christensen vint me voir pour s'enquérir des résultats de l'évaluation.

— Comment cela s'est-il passé? demanda-t-il. Quelles sont les mauvaises nouvelles?

Je lui décochai un sourire réjoui.

— Eh bien, il y a une bonne et une mauvaise nouvelle. La bonne, c'est que Tony n'est pas autiste. La mauvaise, c'est qu'il est retardé.

Avant que j'aie fini de m'expliquer, le Dr Christensen riait un peu plus bruyamment qu'il n'est d'usage dans une unité de cardiologie.

— Classique, fit-il. La bonne nouvelle, c'est que vous n'allez pas mourir d'un problème cardiaque. La mauvaise, c'est que vous allez mourir d'un cancer. Magnifique. J'adore ça!

D'autres infirmières présentes dans la salle se mirent à surenchérir en citant leurs exemples d'histoires de « bonnes et mauvaises nouvelles », et nous rîmes beaucoup. Un autre médecin qui lisait un dossier non loin, se leva et déclara d'un air pincé :

— Je ne trouve pas tout ceci très drôle.

Puis il sortit de la salle avec mépris.

Nous attendîmes qu'il ait pris l'ascenseur pour faire de lui le sujet de quelques plaisanteries d'un bon goût relatif. N'importe quel idiot aurait compris que nous ne nous réjouissions pas de la mauvaise nouvelle mais que nous célébrions ainsi la bonne nouvelle. Ne plus avoir à utiliser le terme « autiste » était une véritable victoire, et j'étais ravie de la partager avec le Dr Christensen et mes collègues. Ces gens voyaient régulièrement Tony lorsque je passais avec lui le jeudi ; ils l'avaient vu grandir et en même temps s'accroître aussi l'espoir de sa guérison. Pour tout le soutien qu'ils m'avaient offert, ils méritaient bien de rire un peu.

Le plus grand succès de Tony était son langage devenu maintenant un véritable moyen de communication. Le rapport du Centre d'évaluation contient une conversation entre Tony et Renée qui démontre ses nouvelles capacités. Elle eut lieu pendant leur passage dans la salle de jeux, quand Renée fit semblant de renverser du jus de fruit que Tony voulait donner à une poupée. Il se déroule ainsi :

Renée : — Je le renverse.
Tony : — Pas renverser.
Renée : — Je dois renverser.
Tony : — Non, tu dois pas.
Renée : — Si, je dois.
Tony : — Non, tu dois pas.
Renée : — Si.
Tony : — Non, tu dois pas! (voix plus forte)
Renée : — Je dois! (en criant)
Tony : — Je suis colère.

Aussi simple que paraisse cet échange, il met en relief certaines finesses de communication élaborées et inattendues. Tony s'était servi des mots pour défendre son point de vue, ce qu'il avait fait plutôt bien. Renée avait certes eu le dessus dans cette confrontation, mais elle devrait vivre avec l'idée que Tony était en colère contre elle, or cela gâchait son plaisir et Tony en était conscient. Le fait qu'il fût capable de reconnaître et de nommer une émotion constituait un autre progrès notable.

Tony savait maintenant utiliser un certain vocabulaire pour nommer, réclamer, simuler ou même s'expliquer. Un jour, lors d'une fête, je voulus le faire quitter le jardin et rentrer dans la maison. Il repoussa ma main et dit :

— Je veux pas aller dedans. Trop de monde.

A première vue, Tony pouvait passer pour un enfant simplement très timide. Mais il se retrouvait toujours dans des endroits où il y avait « trop de monde ». Il avait un flair infaillible pour repérer l'adulte timide dans la foule et se débrouiller pour que celui-ci s'occupe de lui exclusivement, à l'écart. Ces adultes semblaient reconnaître en Tony l'écho de leur propre insécurité, et ils l'aidaient à surmonter la sienne avec enthousiasme. Il était amusant de voir un adulte amener Tony centimètre par centimètre dans un groupe. Lorsqu'ils s'y retrouvaient enfin, le visage de Tony s'éclairait d'un sourire d'autosatisfaction, et son nouvel ami l'imitait.

Mais Tony était très sélectif dans le choix de ses amis. Il aimait les adultes paisibles, mais en ce qui concernait les enfants il ne voyait que Renée. Je commençai à m'inquiéter un peu de cette exclusivité. Leur relation était certes belle, mais elle n'en restait pas moins excessive et ne leur apprenait pas réellement comment communiquer avec d'autres enfants. Les disputes entre eux étaient rares et se terminaient toujours quand le vainqueur tendait au vaincu le jouet objet du litige, avec des excuses. C'est un comportement qui ne se produit pas dans les relations habituelles entre enfants.

Tony et Renée n'eurent qu'un seul affrontement physique, ce fut plus ma faute que la leur. Je rendais visite à une amie que je n'avais pas vue depuis une éternité et j'avais laissé les enfants jouer bien après l'heure habituelle de leur sieste. Ils jouaient joyeusement dans le jardin de mon amie quand soudain nous entendîmes des hurlements. Nous nous précipitâmes au-dehors pour voir ce qui se passait. Tony et Renée brandissaient de grosses pierres au-dessus de leur tête, prêts à se frapper. Je leur arrachai les pierres et palpai leur crâne. A l'évidence, ils s'étaient déjà assené quelques rudes coups. Je les serrai tous deux contre moi, sans les gronder, et les fit monter dans la voiture dès qu'ils se furent un peu calmés.

Sur le chemin du retour, ils restèrent un temps à pleurnicher sur la banquette arrière, puis Renée rompit le silence :

— Il t'a tapé, Tony, c'est mal.

Et Tony répondit :

— Il t'a tapée aussi. C'est mal aussi. Il était très méchant.

Parce qu'ils ne pouvaient le supporter, ils occultaient le souvenir qu'ils s'étaient en fait mutuellement frappés, et par compensation ils attribuaient cet acte à un personnage imaginaire.

Cet amour réciproque à l'intérieur du cocon familial ne les préparait en rien au contact avec d'autres enfants qui peut-être leur voleraient leurs jouets, les injurieraient et ensuite refuseraient de s'excuser. Bien sûr, Tony éprouverait des difficultés encore plus grandes à s'adapter aux autres enfants sans Renée, alors que l'inverse n'était pas vrai. Or je ne voulais pas que Tony freine sa sœur dans son propre développement relationnel. Leur faire côtoyer ensemble d'autres enfants paraissait exacerber le problème : ils s'accrochaient nerveusement l'un à l'autre dès qu'un autre enfant approchait.

Je fus la seule mère de ma connaissance à encourager activement la rivalité entre ses deux enfants. Je ramenais à la maison un seul jouet, un seul livre ou une seule friandise pour leur donner un motif de conflit. Mais lorsque celui-ci naissait, j'avais toujours tendance à me précipiter pour mettre un terme à leur discorde. Il fallait que je me souvienne que c'était moi qui avais provoqué l'affrontement et que pour leur bien je devais le laisser arriver de lui-même à son terme. Ils n'apprirent jamais à se battre bec et ongles comme ce fut mon cas à leur âge, mais ils finirent par développer un don certain pour la chamaillerie.

Pris séparément, Tony et Renée étaient faibles. Ensemble, leur force de cohésion était surprenante. J'en mesurai la puissance pendant l'été où Tony eut quatre ans. Rich avait décidé de partir pendant un mois dans le Vermont, avec son amie du moment, me laissant la charge des enfants alors que je travaillais. La situation était particulièrement épineuse car j'avais des horaires de nuit et il n'existait dans toute la ville qu'une garderie assurant un service continu. C'était la seule possibilité offerte, et nous avions déjà un passif assez lourd avec les garderies...

Durant l'entrevue préliminaire à leur admission, je me rendis compte que la directrice de la garderie se contrefichait des problèmes de Tony. Elle me prévint seulement que les enfants devaient se conduire correctement s'ils voulaient rester dans son établissement.

Je lui assurai qu'elle n'aurait aucun problème avec eux aussi longtemps qu'ils resteraient ensemble.

Je savais qu'ils ne se chamailleraient pas et qu'ils s'amuseraient mutuellement.

Le vendredi suivant, quand j'arrivai vers minuit, je m'attendais à transporter dans la voiture deux enfants endormis sur leur lit. Des douzaines d'autres dormaient paisiblement, en effet, mais les miens dévalaient le couloir dans un sens puis dans l'autre.

La mâchoire dure, la femme du bureau de garde me dit :

— Avant de les ramener, demain, vous devrez leur expliquer qu'ils doivent faire ce qu'on leur dit de faire. Ils n'écoutent absolument pas.

J'étais tellement embarrassée et en colère que je les fessai avant même de prendre le chemin de la maison. Ils pleurèrent et crièrent qu'ils regrettaient, et je fus convaincue qu'ils avaient compris la leçon.

Le lendemain je les fis s'excuser auprès de la surveillante de jour et promettre qu'ils seraient sages, puis j'allai à mon travail, certaine que l'incident était clos.

En venant les chercher à minuit je compris que j'avais tort. La femme de garde était furieuse. Elle m'apprit qu'ils avaient réussi à entraîner tous les autres enfants à les imiter en se mettant debout sur leur chaise pendant le repas et en criant « Non ! » quand on leur ordonnait de se rasseoir. A l'heure du coucher ils avaient été les instigateurs d'un jeu consistant à courir d'un lit à l'autre. Ce divertissement avait duré deux heures pleines. Les autres enfants avaient bien fini par s'endormir, mais Tony et Renée continuaient à bavarder et à rire.

— Inutile de les ramener ici, dit-elle.

J'aurais pu les étrangler. Pendant que je leur administrais une nouvelle fessée, j'eus la certitude que mes enfants continueraient à m'humilier jusqu'à la fin de mon existence.

Rich ne se montra pas choqué ou ennuyé quand il téléphona du Vermont et que je lui relatai ces derniers faits. Ce n'était évidemment pas lui qui devrait s'absenter de son travail pour pallier la nouvelle situation. Il estima que Tony et Renée avaient été « extras » et nomma même ce glorieux épisode de leur enfance *« The Riot In Cell-Block Number Nine »* (*Emeute au bloc numéro 9*, célèbre air de rock'n'roll). Il téléphona même à sa mère pour vanter ce haut fait.

— Je parie que Mary n'a pas du tout trouvé ça drôle, dit-elle. Elle n'a aucun sens de l'humour.

CHAPITRE 12

Un samedi, alors que je me préparais à partir travailler, je ne pus mettre la main sur ma montre. Je regardai dans les poches de mes vêtements et sous les coussins du canapé, mais elle resta introuvable.

— Elle refera bien surface, me dis-je en ouvrant le tiroir où je rangeais toutes mes babioles pour y prendre ma vieille montre.

Mais celle-ci ne s'y trouvait pas non plus. J'étais déjà en retard et je partis en hâte. J'en emprunterais une pour la soirée et chercherais mieux demain matin, décidai-je.

Quand je revins de l'hôpital il était minuit passé et j'étais épuisée d'un service chargé. J'allumai quelques lampes et la chaîne, et essayai de me détendre un peu avant d'aller au lit. J'errai dans la maison en collectant sans grand enthousiasme le linge sale pour remplir une machine. Comme j'entrai dans la chambre de Tony, je me souvins que je n'avais pas nourri son poisson rouge. Je laissai tomber quelques daphnées sur la surface de l'aquarium et m'écroulai sur un siège pour regarder le poisson faire ripaille.

Mais quelque chose clochait. Au lieu de me

détendre au spectacle relaxant de l'aquarium, je me sentais de plus en plus tendue. Et soudain la révélation me frappa avec une force presque physique. La photographie encadrée au-dessus de l'aquarium avait disparu.

Je bondis de mon siège et me mis à fouiller placards et tiroirs avec frénésie. Rich l'avait-il emmenée ? A moins que Tony l'ait cachée quelque part ? Je mis toute la maison sens dessus dessous sans trouver la photographie ni les montres. Finalement je renonçai et allai me coucher.

Le jour suivant je continuai à m'interroger sur ces disparitions tout en rangeant le désordre que j'avais créé la veille au soir. En regardant par la fenêtre, je remarquai que deux piquets de la barrière du jardin étaient tombés. J'étais dehors à les reclouer sur place lorsque la sonnerie du téléphone m'interrompit dans ma tâche. Lorsque je revins pour la terminer, le marteau avait disparu.

« Cette fois j'ai la preuve que je perds la boule ! », me dis-je.

Le week-end suivant j'assurai deux services d'affilée à l'hôpital, si bien que je partis travailler le vendredi soir et ne revins que le samedi matin à huit heures. Les enfants étaient chez Rich, et, comme ma voiture avait besoin d'une petite réparation, je l'amenai chez lui pour qu'il me reconduise dans la sienne à la maison. A mon arrivée j'étais dans un tel état d'épuisement que j'aurais pu dormir pendant un ouragan.

A mon réveil je titubai vers la cuisine pour me préparer une bonne tasse de thé. Mais avant d'avoir parcouru la moitié du couloir je me rendis compte que les lumières étaient allumées dans la salle de jeux et je perçus des voix d'enfants qui s'en échappaient.

Et ce n'étaient pas les voix de mes enfants.

— Qu'est-ce que vous fichez ici? m'écriai-je. Sortez d'ici, petits vandales!

Cinq enfants de huit à treize ans se sauvèrent par la porte arrière de la maison dans une telle précipitation qu'ils se marchaient presque les uns sur les autres. Je connaissais leur âge parce que je les connaissais. Il s'agissait de nos voisins, les Martin. Nous habitions côte à côte depuis cinq ans déjà. Le plus jeune enfant était une fille, les quatre autres des garçons. Ils étaient souvent venus jouer à la maison en invités. Maintenant je me demandais s'ils venaient souvent y jouer sans être invités...

Ils avaient dû entrer en voyant qu'il n'y avait aucun véhicule dans l'allée — habituellement le signe qu'il n'y avait personne dans la maison. Mais je m'interrogeais sur la façon dont ils avaient pu s'introduire chez nous.

« J'ai dû oublier de fermer la porte arrière à clef », supputai-je en m'approchant pour remédier à cet oubli. C'est alors que je découvris ce que jamais je n'aurais pensé à chercher. Du papier bouchait la gâche, empêchant le pêne d'y glisser, et donc la porte de jamais être véritablement fermée. Ceci expliquait la disparition des montres et de la photographie, ainsi que la façon dont les Martin étaient entrés chez nous. J'étais livide et plutôt ébranlée par la révélation. Mais dès que je recouvris un peu de mon calme j'eus un très mauvais sentiment sur toute cette affaire. Quand j'en parlai à Rich, il eut la même réaction.

— Tu veux que j'aille leur parler? proposa-t-il. Je me suis toujours assez bien entendu avec eux, et ils ont peut-être dans l'idée que j'approuve ce qu'ils font simplement parce que nous sommes divorcés.

— Je t'en serais reconnaissante, oui.

Nous ne voulions pas être trop sévères avec ces enfants. Pendant ces cinq années de voisinage, nous ne les avions jamais vu posséder un jouet en propre. Ils traînaient dans les rues du matin au soir, mal fagotés, et parlaient de jeter des seaux d'eau sur leur mère quand ils la voyaient sortir de l'allée. Les ambulances et les voitures de police semblaient faire des haltes régulières devant leur maison, habituellement à la suite de disputes familiales ou de problèmes liés à la drogue. Il était pathétique de penser que ces enfants s'étaient introduits dans ma maison pour profiter un peu des jouets. Ils n'étaient même pas assez malins pour voler plus que deux montres à dix dollars et une photographie encadrée me représentant serrant Tony contre moi. Pas encore assez malins, en tout cas.

Rich alla donc parler aux enfants, d'une façon déterminée mais paisible. Il leur affirma qu'ils étaient les bienvenus chez moi quand je m'y trouvais, mais certainement pas s'ils s'y introduisaient en mon absence. Rich et moi espérions que l'incident serait clos et que la paix était faite.

Plusieurs semaines s'écoulèrent sans aucun nouveau problème. Les enfants Martin et moi avions peu de choses à nous dire, mais j'eus l'impression qu'ils regrettaient leur petit forfait.

Un jour, rentrant en pleine nuit, j'ouvris les lumières et actionnai l'interrupteur commandant la mise en marche de la chaîne stéréo. Il n'y eut pas de musique. Parce qu'il n'y avait plus de chaîne-stéréo.

Après avoir appelé la police, je fis l'inventaire des dégâts. Le poste de télévision avait disparu. Le radio-réveil avait disparu. Même mon appareil-photo avait disparu. Ce dernier vol me fit vraiment mal. Mon petit appareil si fiable, qui avait saisi des centaines de moments précieux avec Tony et Renée, et qui devait maintenant se trouver chez un quelconque receleur de South Valley. La maison était froide et emplie de courants d'air : la fenêtre de la salle de bains, point d'effraction évident de mes voleurs, était brisée.

— C'est soit un enfant soit un adulte de très petite taille qui est passé par là, dit le policier dès son arrivée.

— J'ai une assez bonne idée de son identité...

Un autre indice désignait les enfants Martin. Une boîte de cookies au chocolat avait été ouverte et vidée. Or c'était leur friandise préférée.

Après une nuit d'un sommeil très perturbé, mes soupçons se confirmèrent alors que j'étendais mon linge dehors. Le petit Patrick Martin se pencha par-dessus la palissade.

— Hé, Mrs Randazzo ! lança-t-il. Ça vous dirait de racheter votre appareil-photo ?

La proposition mit un terme définitif à la sympathie que je pouvais éprouver pour ces petits vauriens. J'appelai la police et leur communiquai ce nouveau renseignement.

— Désolé, Madame, nous ne pouvons rien faire pour l'instant. Nous avons besoin de plus que ça pour obtenir un mandat.

Mais il y avait quelque chose que moi je pouvais faire. Je pouvais m'arranger pour que les vols ne se reproduisent plus. A neuf heures du matin le lundi, j'entrai dans les locaux d'une société de crédit.

— J'ai besoin d'un prêt de quinze cents dollars pour renforcer mes fenêtres et mes portes de barres d'acier.

— Vous pouvez économiser un peu en ne renforçant de barres que les fenêtres. Et prenez une porte pleine à double point de sécurité. Personne ne peut les forcer.

— Merci. Alors j'ai besoin d'un prêt de quatorze cents dollars.

En quelques jours ma demande fut acceptée et des ouvriers vinrent faire les modifications. Je rembourserais l'emprunt avec l'argent versé par l'assurance en dédommagement des vols. Pour l'instant, la sécurité était plus importante que le rachat d'une chaîne stéréo.

Rich eut quelques mots avec les voisins, et cette fois ce ne furent pas des mots aimables. Ils l'injurièrent et se sauvèrent en riant.

La guerre était déclarée.

A partir de ce jour je ne tournais plus le coin de la rue sans me demander quelles nouvelles dégradations j'allais découvrir. Ma table de jardin qui restait sous le porche fut volée, ma voiture badigeonnée à la peinture en bombe, et des vêtements disparurent du séchoir. Lorsque je sortais de la maison, il n'était pas rare que j'entende « Hé, la pétasse ! » lancé par les enfants ou même leur mère. Chez moi je me sentais en sécurité, mais par deux fois j'éteignis les lumières de ma chambre et vit en ombres chinoises des silhouettes devant ma fenêtre. Elles avaient toujours décampé avant l'arrivée de la police.

Le shérif du comté et moi nous connaissions assez pour nous tutoyer.

— 'Jour, Mary, qu'est-ce qu'ils t'ont encore fait, cette fois ?

— Cette fois ils m'ont volé ma table de jardin, Sam.

Je détestais l'idée d'être chassée de mon foyer par un gang de truands en herbe. Puisqu'il ne restait rien à dérober à l'extérieur de la maison, j'espérais qu'ils se lasseraient de traîner au-dehors, à attendre l'occasion de lancer des injures. Et les choses se calmèrent en effet avec l'arrivée des beaux jours.

Mes enfants étaient impatients de jouer dehors dans leur bac à sable, et je décidai qu'il était temps de prendre la température de nos relations avec le voisinage. Je laissai donc Renée et Tony sortir, avec pour consigne de rester proches de la porte, et mon amie Suzanne et moi restâmes assises à l'intérieur près de la porte ouverte, d'où nous pouvions les garder à l'œil.

Je vis un des gamins Martin qui observait Tony et Renée par-dessus la palissade. Les voisins faisaient brûler des détritus dans leur propre jardin. Avant que je me sois résolue à rappeler Tony et Renée à l'intérieur, ces petites pestes passèrent à l'action. Tony jaillit du bac à sable en hurlant et en me montrant son bras. Renée se précipita dans la maison sur ses talons. La marque sur le bras de Tony passa du rose au rouge, et la cloque gonfla sous mes yeux.

— Suzanne, passe son bras sous l'eau, dis-je avant de me ruer au-dehors pour regarder autour du bac à sable. Un morceau de bois s'était fiché dans le sable, encore chaud au toucher et blanc sur les bords, de la taille exacte de la brûlure de Tony.

— Salopards ! tempêtai-je par-dessus la barrière. Foutus salopards, vous allez me le payer !

Je retournai à l'intérieur comme une furie et serrai Tony contre moi. Suzanne avait décroché le téléphone et appelait la police. Nous étions toutes deux au bord de l'hystérie, et les enfants y avaient cédé. J'appliquai de la glace sur le bras de Tony.

La police compatit à nos malheurs, comme d'habitude, mais fut sans grand secours. Ils dressèrent procès-verbal aux Martin pour incinération illégale de détritus en plein air, mais ils ne purent arrêter personne puisque je ne pouvais désigner qui avait lancé le bout de bois incandescent par-dessus la palissade. Ils me conseillèrent la prudence car tout le monde à côté était ivre. Je pouvais donc m'attendre à des représailles.

— Appelez dès qu'il y a le commencement du moindre problème, ajouta l'officier de police.

L'opportunité de suivre son conseil se présenta quelques minutes à peine après le départ de la voiture de patrouille. Par la fenêtre Suzanne vit deux des gamins qui grimpaient dans l'arbre du jardin avec une grosse paire de pinces coupantes.

— Appelle, vite ! s'exclama-t-elle. Ils vont cisailler tes fils de téléphone !

La police réagit si vite que j'entendis la sirène avant même d'avoir raccroché. Ils attrapèrent les gamins dans l'arbre, et leur mère se montra tellement grossière qu'ils les emmenèrent tous les trois menottes aux poignets.

— Suzanne, je ne peux vraiment plus supporter cette situation, avouai-je. Ce n'est plus une vie...

Incapables de rester immobiles, nous arpentâmes toutes deux la maison pendant quelques minutes. Puis j'appelai Rich et lui narrai les derniers événements. Il hésita un peu, mais finit par dire qu'il arrivait.

— Ça te dérange si je pars quand il sera là ? demanda Suzanne. Ce n'est pas une vie pour moi non plus.

Nous gloussâmes nerveusement.

— Bien sûr. Je ne t'en voudrai pas. Je crois que Rich avait un rendez-vous galant...

J'avais vu juste : Rich sortait au moment où je lui avais téléphoné. Mais il m'assura que je ne devais pas me culpabiliser, et que son amie comprenait fort bien qu'il fît passer ses enfants en premier.

Nous couchâmes Tony et Renée, puis nous fîmes les cent pas ensemble, en jurant et en cherchant à définir un plan d'action. On frappa à la porte.

Rich scruta les ténèbres par la fenêtre.

— Ouvre. C'est les flics.

Les deux officiers de police étaient revenus pour nous mettre au courant des derniers développements de la situation.

— Ils sont pour l'instant en prison, mais ils ressortiront sous caution à minuit. Il faut que tu saches qu'ils menacent de te tuer, Mary. Je crois que tu devrais te procurer une arme, ou envisager de déménager.

La police repartit, et Rich aussi.

— Je sais où avoir une arme, me dit-il. Ne passe devant aucune fenêtre. Je serai de retour dans une demi-heure.

Et il revint avec un .357 Magnum semblable à celui de l'inspecteur Harry.

— Que vas-tu faire avec ça, Rich?

— Attendre.

— Attendre quoi? Ils ne peuvent pas entrer ici, et tu ne peux pas sortir.

— Bah, je ne peux pas dormir, de toute façon. Alors autant monter la garde. Va te coucher, toi.

Le lendemain matin Rich alla travailler après avoir pris à peine deux heures de repos. Il laissa le .357 sur le réfrigérateur et m'assura qu'il reviendrait dès sa journée terminée.

Je restai à l'intérieur avec mes deux enfants et un Magnum chargé pendant trois jours. Rich revenait chaque soir et dormait sur le canapé, l'arme à portée de main. Un matin nous discutâmes.

— Soyons raisonnables, Rich. Tu ne peux pas tirer sur un gamin de onze ans. D'abord ils te trouveront une cellule dans un pénitencier d'Etat avant que tu aies eu le temps de poser cet obusier sur la table. Et puis je ne crois pas qu'ils te permettront jamais de reprendre un poste d'enseignant après ça.

Nous finîmes par rire du ridicule de la situation. Nous étions déjà derrière des barreaux, à nous dissimuler de gangsters qui n'avaient pas encore atteint la puberté.

— Il faut voir les choses en face, me dit Rich. Ou bien nous décimons le voisinage, ou tu changes de voisinage.

— Voyons les choses en face, donc. Je suis en train de me faire chasser de cette ville !

— De cette partie de la ville, en tout cas. Tu peux venir t'installer chez moi jusqu'à ce que tu aies trouvé un autre logement. Je t'aiderai à revendre la maison.

Le lendemain je rassemblai quelques affaires et devins l'hôte de mon ex-mari, dans son nouvel appartement.

Les Martin me volèrent deux fois encore avant que j'aie complètement déménagé. La première fois, le jour où l'agent immobilier vint visiter la maison, ils dérobèrent la balançoire et le séchoir. La dernière fois se produisit le jour où je devais déposer contre eux au tribunal. Ils descellèrent les points de sécurité de la porte et réussirent à entrer. Ils subtilisèrent quelques bibelots et les chaises de cuisine. Nous empruntâmes un camion à dix heures ce soir-là et y entassâmes l'intégralité de ce qui se trouvait dans la maison. Le tout fut réparti entre la maison de Suzanne et un garde-meubles dès le lendemain.

Ce fut une expérience horriblement frustrante, mais il y eut une contrepartie inattendue à cette épreuve. Tout d'abord les sommes versées par l'assurance permirent de solder bon nombre de dettes, bien que je n'eusse plus grand-chose à moi. En second lieu, je ne devais pas quitter l'appartement de Rich avant que nous ne trouvions une maison, un an plus tard.

Tout compte fait, ça valait le coup.

Ma première semaine chez Rich se déroula dans un climat assez bizarre. Je passais mes journées à chercher un endroit bon marché où m'installer, et mes nuits sur le canapé. Les moments entre quatre et dix heures étaient les plus difficiles à supporter. D'un côté il était agréable d'avoir quelqu'un à qui parler tandis que je préparais la sauce des spaghettis, mais de l'autre je rêvais qu'il pût toujours en être ainsi. Et il me paraissait tellement naturel de déshabiller un des enfants pour le coucher tandis que Rich s'occupait de l'autre, comme si nous le faisions depuis des années, sans interruption...

A ma troisième soirée de présence chez lui, nous nous entassâmes dans sa voiture pour la rituelle sortie des courses au supermarché. Je me sentais étrangement joyeuse à pousser le caddy dans les allées du Safeway en compagnie du père de mes enfants, si heureuse qu'on devait croire que je m'imaginais en pleine croisière dans les Caraïbes. Nous quatre réunis, j'étais emplie d'une délicieuse sensation d'harmonie. Durant quelques minutes je me laissai aller à oublier ce que le passé avait été et ce que l'avenir ne serait pas.

Puis Rich prit une boîte de piments verts sur un rayon et annonça qu'il cuisinerait mon omelette au fromage préférée pour le petit déjeuner du samedi. Et soudain, le passé et l'avenir s'abattirent sur moi.

Tous les samedis matin Rich avait préparé une omelette au fromage pendant notre mariage. Même après la naissance de Tony. Même quand nous en étions arrivés à nous détester. Et nous allions partager de nouveau une omelette au fromage avant que la réalité ne reprenne ses droits. J'avais versé une caution pour retenir un appartement et prévu d'y emménager le samedi après-midi. Je détournai la tête pour que Rich ne voie pas le tremblement qui agitait ma lèvre inférieure.

Ce n'était pas la première fois que j'éprouvais de tels regrets. Plus tôt au cours de l'été j'étais allée à l'Amphithéâtre de l'Echo avec Tony, Renée et un homme que je fréquentais. Les enfants avaient été calmes dans la voiture, et absolument ravis en arrivant devant « la montagne qui répète ». Ils couraient le long de la grande allée en criant « Coucou, Montagne ! » et éclataient de rire quand la montagne répondait. Et lorsqu'ils s'aperçurent que leur rire même leur était renvoyé, ils s'écroulèrent sur le sol pour s'abandonner à leur hilarité. Je tentai d'expliquer l'ironie de la situation à mon ami, Tony entendant ses paroles répétées au lieu de répéter celles des autres. Mais mon chevalier servant ne marqua pas le moindre intérêt. Il affichait un ennui très net devant le vacarme créé par Tony et Renée, et il était visiblement jaloux de l'attention que je leur accordais. Son mécontentement était si peu séduisant que je mis un terme à notre relation sur le chemin du retour. J'aurais voulu que Rich soit présent : il aurait apprécié tout le sel de l'incident.

Il paraissait peu probable que Rich puisse regretter notre mariage. Sa vie de divorcé avait été beaucoup plus agréable que la mienne. Aussi profondément blessé qu'il avait pu l'être quand je l'avais mis à la porte sans cérémonie, deux ans auparavant, il avait trouvé beaucoup de femmes pour le consoler depuis. Plus séduisant que le jour de notre rencontre avec ses cheveux poivre et sel et quelques kilos de plus, il paraissait profiter d'un flux intarissable de créatures blondes âgées de vingt-deux ans. Le lundi, les enfants me revenaient pour me parler de Tante Peggy, Tante Nancy et Tante Joan.

Pourtant je ne peux pas dire que, femme divorcée, j'aie souffert de solitude. Je sortais avec des hommes différents, mais aucun qui ressemblât même de loin à Paul Newman. En fait, la majorité d'entre eux se retrouvaient au chômage, ou en délicatesse avec la justice pendant ou peu après ma relation avec eux. Et chaque fois que je me rendais compte que l'objet de mon affection n'était pas celui qu'il m'avait paru être, Rich me semblait plus désirable.

Je commençais à comprendre que Rich s'était peut-être « mal conduit » quand Tony avait été déclaré autiste simplement parce qu'il était un être de chair et de sang et non un personnage de série télévisée. Et s'il avait réagi par la colère, n'était-ce pas parce que la colère représentait sa réaction de toujours à une crise, comme le refus la mienne ? Rétrospectivement, il me semblait maintenant que c'étaient surtout nos mécanismes de défense qui se révélaient incompatibles.

Mais il était trop tard. Rich fit semblant de ne pas remarquer que je pleurais dans le Safeway.

Cette nuit-là, après avoir couché les enfants, Rich m'avoua qu'il avait espéré que je ne trouverais pas un appartement aussi rapidement.

— J'avais pensé que nous pourrions rester une famille encore quelque temps, dit-il.

— L'idée de partir me fait mal aussi. Cette semaine a vraiment été agréable.

— Pourquoi ne resterais-tu pas? Déménage quand tu le veux, dès notre première dispute...

— Ça me donnerait l'impression de prolonger la torture. Nous redouterions tous les deux de commettre la première erreur. Je crois qu'il faut choisir une solution ou l'autre. Tu sais ce que je veux dire.

— Je sais ce que je veux, me dit-il en me regardant à la dérobée. Je t'aime toujours, Mary.

Nous nous retrouvâmes dans les bras l'un de l'autre. Je pleurai et ris de joie et, finalement, nous allâmes nous coucher ensemble pour la première fois depuis deux ans. Je perdis la caution versée pour mon nouvel appartement, et Rich annula plusieurs rendez-vous. Ni lui ni moi ne nous plaignîmes de ces modifications.

Retrouver le bonheur avec son ex-conjoint est une expérience magnifique. Plus de gens devraient la tenter. C'est un plus que de se sentir romantique et neuf auprès de quelqu'un qui vous connaît de façon aussi approfondie et vous aime toujours. Nos amis furent surpris, mais très heureux pour nous. Ils répétaient sans cesse que Renée et Tony devaient être ravis. En vérité, nos enfants étaient encore trop jeunes pour avoir remarqué que les maman et papa des autres enfants vivaient ensemble. Et non, ils n'étaient pas vraiment ravis de voir leurs parents s'accorder mutuellement autant d'attention, un peu à leur détriment.

— Qui va s'occuper de nous? demandait Renée quand elle en avait assez de nous voir enlacés en amoureux sur le canapé.

Mais Tony comme elle s'adaptèrent à cette nouvelle phase familiale dès l'automne. Tony débutait sa seconde année de classe préscolaire, et il surprit son éducateur en tenant des conversations timides et par sa capacité toute neuve à participer aux activités. Nous l'avions gardé dans le groupe des trois ans, et le même éducateur qui s'était heurté à son comportement étrange et à son mutisme l'année précédente fut récompensé d'un « Bonjour » dès le premier jour. Tony n'était pas encore prêt à accepter totalement les autres enfants de sa classe, mais nous savions qu'il était en bonne voie d'y parvenir.

Renée également allait pour la première fois dans un établissement préscolaire nommé *Child's Garden (Le jardin de l'enfant)*, distant de moins d'un kilomètre de la Congregational Preschool. J'aurais aimé l'envoyer au même endroit que Tony, mais elle se serait alors retrouvée dans sa classe, ce qui aurait annulé tous mes projets. Je voulais qu'ils apprennent séparément à développer des rapports avec d'autres enfants.

Je passais mes matinées au Lovelace Hospital, en qualité de consultante au département de pneumologie. Mon vieil ami le Dr Christensen s'était arrangé pour m'avoir ce poste, sans rien me dire. Un jour simplement il m'annonça qu'une place était libre, si cela m'intéressait. Par un hasard bien entendu parfaitement fortuit, cet emploi requérait dix heures de présence par semaine, selon les horaires exacts où je n'avais pas les enfants ! Ce nouveau poste me permit de réduire mes services nocturnes d'une soirée par semaine, mais aussi de reprendre contact avec ma spécialisation en infirmerie pneumologique.

Tout s'arrangeait donc au mieux, à une petite

exception près. Renée n'avait pas de très bons résultats scolaires. Le matin elle affirmait pourtant être contente de se rendre en classe, mais lorsque je venais la chercher à midi je la retrouvais souvent recroquevillée dans son coin, à sucer son pouce. Son éducateur me la décrivit comme une enfant « renfermée », un mot qui déclencha en moi une sourde terreur. Pourtant il paraissait approprié. Elle parlait très peu et refusait de participer aux activités de la classe.

— Elle a l'air très fatiguée, ajouta l'éducateur.

— Je ne vois pas pourquoi elle le serait, répondis-je. Elle dort dix heures chaque nuit et fait une sieste de quatre heures l'après-midi.

— Peut-être lui faut-il seulement un peu de temps pour s'adapter.

Nous convînmes de lui laisser un peu de temps et de ne pas nous inquiéter en attendant.

Mais mon inquiétude ne s'apaisa pas. Durant l'été, Renée avait commencé à se réveiller plusieurs fois par nuit en criant. Habituellement elle s'était rendormie avant que j'arrive à son lit, mais il m'apparaissait très étrange que son sommeil soit soudain devenu aussi agité.

Un jour je fis part de ce comportement singulier à mon nouveau patron, le Dr Christensen.

— Heureusement que nous branchons toujours le ventilateur de fenêtre dans leur chambre, sinon Tony ne dormirait pas de la nuit, entre ses réveils bruyants et ses ronflements.

— Elle ronfle ? s'étonna-t-il en se redressant brusquement sur son siège. Quand a-t-elle commencé à ronfler ?

— Cet été. Au début, nous trouvions cela plutôt mignon. Mais quand vous devez monter le son de la télévision dans le salon pour ne pas entendre ses ronflements, cela devient moins mignon.

— A-t-elle des crises d'apnée ?

— Je ne l'ai jamais vérifié, avouai-je lentement. De temps en temps, elle cesse de ronfler une ou deux minutes. Mais je n'ai jamais regardé si elle cessait de respirer durant ces périodes.

Il n'eut pas besoin de me dire de le faire la nuit suivante. Assise au bord du lit, je la surveillai tandis qu'elle se tournait et se retournait, en reniflant et en gémissant, jusqu'à ce que soudain elle soit d'un calme parfait. L'œil sur ma montre, je mis ma main devant son visage. Quinze secondes, trente, quarante-cinq, et je ne sentais toujours aucun souffle sur ma paume. Et d'un coup elle se redressa en criant dans son lit, se martela les joues de ses petits poings en marmonnant « Je déteste ça » puis ressombra aussitôt dans le sommeil.

« Mon pauvre bébé, pensai-je. Je comprends maintenant pourquoi tu es épuisée toute la journée... »

Je rapportai ma découverte au Dr Christensen dès le lendemain.

— Vous savez que cela pourrait affecter son cœur si ces problèmes durent trop longtemps, me dit-il.

— Non, je l'ignorais, répondis-je en étouffant un sanglot. Je suis infirmière pour adultes. Faites comme si je n'étais pas de la partie et expliquez-moi ce qui se passe.

— Eh bien, je n'ai pas examiné sa gorge, mais je parierais que ses amygdales sont gonflées, ainsi que ses végétations. Lorsqu'elle est couchée ils font obstruction à sa respiration, et pendant toute la nuit elle doit s'asseoir de temps à autre pour la rétablir. Quand elle tombe en phase de sommeil paradoxal, moment où elle pourrait vraiment se reposer, elle cesse de respirer jusqu'à ce que le manque d'oxygène la réveille. L'effet sur son cœur est semblable à celui qu'éprouvent nos patients adultes atteints d'emphysème. Vous connaissez cette affection.

Je ne la connaissais que trop bien, en effet, et je faillis bien amener Renée en urgence pour lui faire subir une amygdalectomie dès l'après-midi. Je me forçai néanmoins à agir avec calme et ordre. La première chose à faire était de l'amener chez le pédiatre.

Lorsque celui-ci éclaira l'intérieur de la bouche de Renée de sa petite lampe d'auscultation, elle poussa une petite onomatopée et il faillit sursauter. Il m'expliqua que parfois les amygdales trop grosses se touchent légèrement en leur centre.

— Celles de Renée semblent plutôt être entrées en collision.

J'étais déconcertée, car j'avais toujours associé des amygdales trop grosses à des maux de gorge, or Renée ne souffrait jamais de maux de gorge.

— Il n'y a pas d'infection, confirma le médecin. Ses amygdales sont simplement trop grosses. Vous ou votre mari avez toujours les vôtres ?

— Pas moi. On me les a ôtées quand j'avais trois ans et demi. L'âge de Renée. J'ai toujours cru que c'était parce qu'elles étaient sujettes à une infection chronique.

Je téléphonai à mes parents le soir même et appris que je me trompais. On m'avait retiré les amygdales parce qu'elles étaient si grosses que je ne pouvais dormir la nuit. La description que ma mère fit de mes symptômes correspondait très exactement au cas de Renée. Ma pauvre fille avait hérité de moi deux de mes caractéristiques les moins enviables : des cheveux trop raides et des amygdales disproportionnées. Pour cette seconde caractéristique au moins, il existait une solution.

Quand le problème fut bien défini et que nous résolûmes d'agir, Noël était tout proche. Suivant l'attitude très pragmatique de notre pédiatre, j'acceptai d'attendre la fin des vacances de fin d'année pour fixer la date de l'intervention chirurgicale.

Grossière erreur.

Il n'était désormais plus possible de simplement monter d'un geste nonchalant le volume sonore de la télévision afin de noyer ses ronflements. J'étais trop inquiète pour son cœur, et je ne pouvais plus regarder la télévision ni même dormir alors que je la savais en train de lutter dans la pièce voisine. Je me mis donc à la prendre dans mon lit pour être en mesure de la secouer durant ses crises d'apnée et de la consoler lorsqu'elle criait sa frustration. Je me rendis vite compte qu'elle dormait mieux en position assise sur mes genoux, avec sa tête contre ma poitrine. Mon menton effleurant à peine ses cheveux, j'avais beaucoup de temps pour penser, et je pensais à Renée.

Avec toute sa vivacité d'esprit, ma ravissante fille avait fait plus pour moi lors de sa courte existence que moi pour elle. Je ne pensais pas avoir été une mauvaise mère pour elle, mais quand je réfléchissais à tout le réconfort qu'elle m'avait apporté ! Elle m'avait rendu mon fils, et de plus elle était ma partenaire et ma meilleure amie depuis le moment de sa naissance. C'était elle, mon second enfant, qui m'avait révélé les joies d'être parent. Elle était toujours là pour me rassurer de son sourire éblouissant quand je commençais à croire que le reste de la maisonnée me haïssait.

Et pour couronner le tout, elle n'avait jamais été en tête de liste des gens qui me donnaient du souci, mais toujours au second rang. Du moins jusqu'à ces derniers jours.

La fatigue me poussait à croire que la vie de ma fille chérie était un cauchemar quand Rich vint me relayer pour le reste de la nuit.

A la lumière du jour je me souvins que jusqu'à très récemment Renée avait été l'enfant la plus enjouée que j'aie connue. Elle ne montrait aucune jalousie pour l'attention dont Tony était l'objet ; elle paraissait comprendre de façon innée qu'il requérait plus de soins de ma part. Et lorsqu'elle avait besoin de quoi que ce soit, elle savait le réclamer pour l'obtenir.

Négligée ou pas, Renée restait ma fille adorée, et j'entendais qu'elle ait toute l'attention possible pour passer au mieux l'épreuve de son intervention. Ses problèmes n'étaient pas moins sérieux que ceux de son frère, et elle ne serait pas moins bien traitée que lui.

Par bonheur, de nos jours les hôpitaux permettent aux mères de rester très près de leurs enfants pour s'en occuper. Je fus autorisée à faire visiter l'hôpital à ma fille la veille de l'opération et à rester dans sa chambre pour la nuit. Je ne pouvais pas rendre les piqûres moins douloureuses, mais je pouvais la dorloter jusqu'à ce que la souffrance se soit éteinte. Elle se vit offrir de nouveaux pyjamas rouges, un chat en peluche qu'elle baptisa Lite Mary Trombo et un livre de coloriages accompagné de la boîte de crayons indispensables. Je profitai de l'occasion pour rattraper le temps perdu et l'attention négligée.

En fait d'amygdalectomie, celle de Renée ne se déroula pas sans problèmes. S'il n'y eut pas de réelles complications, elle vomit des heures durant et refusa de manger et de boire. Ses yeux parurent se rétracter dans les orbites et sa désydratation s'accentua. Je ne pouvais rien sinon la nettoyer lorsqu'elle vomissait, et caresser ses cheveux quand elle dormait.

Enfin, après l'heure du repas, Rich amena Tony. J'espérais que cette visite de son frère dynamiserait Renée, mais il n'en fut rien. Aucun des enfants ne parut accorder le moindre intérêt à la présence de l'autre. Tony avala le sorbet que je m'étais efforcée sans succès de faire manger à Renée, puis il demanda à rentrer à la maison.

Il avait apporté à sa sœur une boîte de son plat favori, des macaronis au fromage Kraft. Il posa la barquette sur la table de chevet, et après son départ elle pointa l'index vers le plat et grogna. Le message était assez clair pour que je me précipite dans la cuisine de l'infirmerie pour lui préparer à manger. Assise dans son lit, Renée mangea tout.

Entre-temps Tony était rentré à la maison et était en proie à des vomissements. Apparemment la condition de Renée l'avait plus perturbé qu'il n'avait bien voulu le laisser voir.

Le lendemain, lorsque je rentrai avec Renée, nous le trouvâmes assis sur le canapé, la mine fiévreuse. Nous lui apportions un cadeau, un cacatoès en peluche nommé Mackie. Il se redressa un peu et l'examina longuement. Quelques minutes plus tard Tony avait oublié son mal de ventre, Renée sa gorge douloureuse et tous deux présentaient leurs nouveaux amis respectifs, Lite et Mackie, à leurs vieux amis les Cercles.

[illegible] été [illegible].

Entre-temps, [illegible] Kirkham [illegible] Renée [illegible] rien. Aucun des [illegible] l'autre. [illegible] que [illegible] Renée [illegible] à la maison.

Il avait apporté à sa mère une boîte de ses [illegible] favoris, des [illegible] Kraft [illegible] baguette sur la table de chevet, et après son départ elle pointa l'index vers la place [illegible]. Le [illegible] pour qu'elle [illegible] dans la [illegible] de [illegible] pour lui [illegible]. Assise dans son lit, Renée mangea tout.

Entre-temps Tony était rentré à la maison [illegible] en proie à des [illegible]. Apparemment la condition de Renée l'avait plus perturbé qu'il n'avait laissé voir.

Le lendemain, [illegible] il revint avec [illegible] tous les [illegible] sur la [illegible]. Le [illegible] Mackie. Il [illegible]. Quelques [illegible] plus tard Tony avait [illegible] Renée [illegible] et [illegible] Mackie, [illegible] vieux [illegible].

CHAPITRE 13

Nul ne se souvient avec exactitude du moment où les Cercles sont apparus chez nous. Mais je sais qu'ils étaient inspirés du jeu électronique Pac-Man, qui avait beaucoup plu à Renée et Tony.

Ils formaient avec le pouce et l'index un cercle qui parlait d'une voix suraiguë. Dans un premier temps les doigts de Tony formaient M. Pac-Man, ceux de Renée Mme Pac-Man, mais le couple eut très vite des enfants, bien entendu. Les descendants de M. et de Mme Pac-Man formèrent la dynastie des Cercles, laquelle proliféra jusqu'à ce que je sois perdue dans le nombre de ses membres.

Renée et Tony, eux, n'avaient aucune difficulté à se retrouver dans tous les personnages de leur histoire. Presque chaque jour ils énuméraient les joies et les peines de la famille des Cercles, en reprenant l'action là où ils l'avaient interrompue la veille. Un « Sesame Street » qui leur était personnel, en quelque sorte.

Les enfants étaient les personnages les plus importants de cette famille et, comme me l'expliqua Renée :

— Ils naissent malins et deviennent bêtes quand ils grandissent.

Très vite leurs aventures devinrent une composante non négligeable dans l'évolution de Renée et Tony. Certains jours les enfants Cercles étaient très méchants, reflétant les pulsions les plus sombres de leurs créateurs. Ils se frappaient entre eux, frappaient leurs parents, volaient et parlaient de façon très grossière. Mais habituellement ils étaient punis et fessés par leur mère. En une occasion la Maman Cercle fut même assassinée par un de ses enfants. Mais il y eut tant de pleurs à son enterrement qu'elle ressuscita.

A d'autres moments les Cercles aidaient à passer à travers des épreuves réelles, comme l'amygdalectomie de Renée. J'adorais surprendre leur façon d'exprimer cet univers imaginaire, et cela m'aidait grandement à comprendre comment ils appréhendaient le monde réel. C'est ainsi que les Cercles m'apprirent la raison de l'irascibilité affichée par Tony lors du mariage de ma sœur : il avait cru que c'était moi qu'elle épousait et que j'allais partir vivre avec elle à Chicago. Je pus donc corriger cette erreur d'interprétation que je n'aurais jamais connue sans les Cercles.

Leurs amis imaginaires créaient également entre Tony et Renée un lien que personne ne pouvait briser. Ils jouaient aux Cercles seulement quand ils étaient tous les deux, et ils prenaient soin de ne pas mentionner leur existence en présence d'amis ou de camarades de classe. Jamais ils n'essayaient de m'expliquer le monde des Cercles, sauf s'ils faisaient quelque chose de particulièrement horrifiant. Par exemple, Tony ne pouvait résister au plaisir de partager de petites plaisanteries, comme : « Mon Cercle a fait pipi dans la soupe de Renée. »

Mais la plupart du temps les Cercles servaient à développer entre eux un langage secret, que personne d'autre ne devait comprendre, au point qu'un jour un gamin un peu plus âgé de leur connaissance vint me demander :

— Vous croyez que vos enfants viennent d'une autre planète, Madame ?

Je suppose que Tony et Renée avaient créé les Cercles parce qu'ils en avaient besoin, en particulier parce que l'école les séparait de plus en plus. Ils développaient des intérêts personnels, et Renée s'était fait ses propres amis. Elle avait découvert la danse, comme beaucoup de petites filles de trois ans, mais avec une différence notable par rapport à la plupart : elle ne rêvait pas de devenir une ballerine mais plutôt une danseuse de rock, et elle enfilait sa plus belle tenue pour tourbillonner dans toute la maison au son de *Beat It* ou de *Billie Jean*. Un ballet classique eût été trop fade pour une jeune fille de son caractère !

La première fois qu'il la vit se cambrer et rouler sa tête d'une épaule à l'autre pour faire admirer sa dernière chorégraphie personnelle, Rich ne put retenir une grimace.

— Ne l'encourage pas à ces singeries, me glissa-t-il.

Tandis que Renée goûtait les joies du rythme et du mouvement, Tony se passionnait pour le calcul. Depuis longtemps déjà il était capable de différencier les chiffres, mais il commençait tout juste à en saisir les multiples utilisations. Armé d'un boulier, d'une feuille de papier et de crayons, il s'asseyait à la table de la salle à manger, écrivait des problèmes et cherchait à les résoudre. Certains jours je marchais sur un tapis de petits papiers où était inscrit « 5 + 2 = 7 ». Avant longtemps Tony me demandait mon aide pour des additions à deux chiffres et des problèmes de soustraction. Il apprenait avec facilité.

Les chiffres devinrent pour lui une obsession, comme cela avait été le cas pour les lumières et les ombres. Il trouvait des problèmes arithmétiques dans la nourriture qui emplissait son assiette, ou les membres de la famille.

— Deux garçons plus deux filles égalent quatre personnes, m'informait-il quotidiennement.

Cette nouvelle aptitude de Tony représenta pour lui un progrès décisif, et il le comprit très vite. Il essaya de communiquer son nouveau savoir à Renée, de la même façon qu'elle l'avait aidé à apprendre dans d'autres domaines, mais il se rendit compte qu'elle était tout simplement trop petite pour comprendre. Pour la première fois il y avait quelque chose qu'il faisait mieux que sa sœur. Il en tira une grande fierté personnelle, mais sans jamais chercher à écraser sa sœur de sa supériorité. A partir de ce moment il parut se tenir plus droit et parler avec plus d'assurance. Il commençait à ressembler à l'aîné des enfants et à assumer ce rôle. Il était enfin prêt à prendre la place qui lui revenait dans la famille et Renée, avec sa gentillesse habituelle, s'effaça pour lui laisser le champ libre.

Pour Rich et moi, c'était la preuve indéniable que Tony n'était pas retardé. Nous nous mîmes à attendre avec impatience l'évaluation qui devait avoir lieu pour ses cinq ans, autant pour montrer ses progrès que pour rayer de son dossier un certain mot.

Cette fois, nous ne fûmes pas déçus. Le changement qui s'était opéré chez Tony était, il est vrai, impressionnant. Et le Dr Wolonsky ne cacha pas sa joie d'avouer que son diagnostic de départ était erroné.

— Je n'ai que trop rarement l'occasion d'annoncer d'aussi bonnes nouvelles, nous dit-il. J'aimerais commettre de telles erreurs plus souvent.

Mais il restait encore certains mystères dans le comportement de Tony. Après un an et demi de classe, il persistait à ne pas parler à ses camarades. Lorsque je lui en demandais la raison, il me répondait simplement :

— Je les comprends pas.

A l'école, il se montrait particulièrement réfractaire aux fables et refusait de regarder la télévision, à l'exception de la série « M. Roger et ses voisins ». Je ne désirais certes pas qu'il reste tout le temps rivé devant l'écran, mais ce désintérêt me paraissait anormal pour un enfant de cinq ans. Au Centre, les évaluateurs écoutèrent mes interrogations à ce sujet et estimèrent que Tony avait besoin de passer des tests concernant les problèmes de compréhension auditive. De nouveau j'observai mon fils derrière un miroir sans tain.

Tony s'assit à la petite table qu'il connaissait bien maintenant et sur laquelle on disposa dix objets. Il les nomma tous, puis le test proprement dit commença. L'évaluateur s'assit de l'autre côté de la table et lui donna des instructions très simples :

— *Prends* le crayon, Tony.

Tony réfléchit à l'injonction un temps curieusement long, puis il saisit le crayon.

— Très bien. Maintenant, *prends* la cuillère.

Cette fois il réagit plus vite, et toujours correctement.

Après qu'il eut saisi les dix objets à la demande, les instructions changèrent.

— *Montre-moi* le crayon, Tony.

Il saisit de nouveau le crayon, une lueur d'espoir dans ses yeux.

— Fais bien attention, Tony, d'accord? Et tu fais ce que je te demande... *Montre-moi* le crayon.

Il reprit le crayon, d'un geste qui trahissait une nervosité naissante.

— *Montre-moi* le peigne, Tony.

Il saisit le peigne. En arrivant aux deux derniers objets, Tony comprit enfin ce qu'on exigeait de lui et les désigna du doigt sans les prendre. Il était visiblement fier de lui.

Les instructions changèrent une nouvelle fois.

— *Touche* le crayon, Tony.

Il pointa le doigt vers le crayon.

— Ecoute bien ce que je te dis, Tony. Tu peux *toucher* le crayon ?

— Tu l'as déjà dit, répliqua-t-il en luttant contre les larmes.

— Je sais, chéri, et je vais le redire encore une fois. Tu peux *toucher* le crayon ?

Tony s'affaissa contre le dossier de sa chaise et saisit le crayon. Une expression de tristesse et d'humiliation avait envahi son visage.

Il était clair qu'il avait échoué au test de compréhension auditive. A la lecture finale de ses résultats, nous ne fûmes ni surpris ni vexés. « Troubles de la communication » était le meilleur diagnostic que nous ayons entendu jusqu'alors, et nous étions heureux de l'échanger contre le vocable « retardé ».

Cette révélation était assez logique au souvenir des multiples fois où Tony m'avait désobéi sans paraître s'en rendre compte.

Je me rappelais de ce jour où nous étions allés rendre visite à mon amie Janet, cette même Janet qui m'avait conduite à l'hôpital pour que j'accouche de Tony. Ce dernier lui avait demandé s'il pouvait jouer dans le jardin, et elle avait répondu par l'affirmative.

— Mais n'ouvre pas la barrière au fond, avait-elle ajouté. Sinon le chien va sortir. Ne t'approche pas de la barrière du fond.

Tony avait trottiné joyeusement jusqu'à la barrière qu'il avait aussitôt ouverte. Je l'avais grondé tandis que Janet courait après son chien, plus par principe que par nécessité. A l'expression de Tony, j'avais compris qu'il attendait des félicitations pour son action, non une remontrance. Il n'avait pas compris, tout simplement.

— Existe-t-il une façon de l'aider à surmonter ce problème de communication? demandai-je au Dr Wolonsky et à Carol.

— Oui, vous pouvez vous asseoir avec lui et avoir de petites séances de thérapie. Posez-lui des questions qui requièrent des types de réponses différents, comme « De quelle couleur est ta chemise? » ou « Comment s'appelle ton chat? ». Posez les questions sans vous attarder, et récompensez-le pour toute réponse correcte. C'est ce qu'un spécialiste ferait, or vous pouvez le faire chez vous, et donc en économisant de l'argent.

Carol était elle d'avis qu'une telle thérapie n'était même pas nécessaire, mais elle recommanda de le placer dans une maternelle dévolue aux enfants atteints de troubles de la communication.

— Il n'y arrivera jamais dans une classe d'enfants non handicapés. Ce serait trop complexe pour lui.

Nous commençâmes donc nos séances de thérapie amateur à la maison. Réaction typique de Tony, il fit des progrès rapides et avant longtemps je ne parvenais plus à lui faire commettre d'erreur dans l'interprétation de mes instructions, même en lui tendant des pièges. Il montrait une capacité remarquable à utiliser son cerveau, soit parce que les dommages se réparaient tout seuls, soit parce qu'il compensait lui-même. La nuance était difficile à définir, mais après quelques mois seulement, ces séances de thérapies domestiques étaient devenues inutiles.

Pendant cette période j'avais prospecté les maternelles spécialisées qui auraient pu lui convenir. Bien que le nouveau diagnostic fût beaucoup plus rassurant que les précédents, il impliquait toujours une scolarité particulière. Ce n'était certes pas ce que j'avais espéré, et j'en étais un peu triste. Mais jamais je ne forcerais les choses dans mon sens si cela risquait de diverger des besoins de Tony.

Malheureusement aucune des classes que je visitai ne parut appropriée. Les troubles de la communication étaient généralement rangés dans la même catégorie que les problèmes comportementaux ou moteurs. Or, si Tony éprouvait quelques difficultés à comprendre ce qu'on lui disait, il n'avait pas à se trouver dans une classe où tous les autres enfants avaient de plus gros problèmes que lui. Et je ne désirais surtout pas qu'il se mette à imiter des comportements négatifs. Le seul avantage que présentaient ces classes spécialisées semblait résider dans la moyenne peu élevée d'élèves par éducateur. En dépit de ce facteur, j'en revenais à mon avis ultérieur : pour progresser, Tony avait besoin de se retrouver en compagnie d'enfants non handicapés. Une solution alternative finit par me venir à l'esprit.

Tony pouvait rester une année de plus dans sa classe préscolaire avant d'aller dans la même maternelle que Renée, et à la même période. Il serait le plus grand de sa classe, mais quelle importance ? Il avait besoin d'une année de plus avec ces éducateurs attentionnés et patients de l'établissement préscolaire. La preuve ultime que c'était là le bon choix fut la réaction de ces éducateurs quand je leur parlai de mon projet. Ils eurent du mal à ne pas laisser exploser leur joie d'avoir Tony une année de plus. Je subodorai alors que Meredith, la camarade de classe de Tony, ne mentait pas lorsqu'elle avait confié à sa mère :

— Je crois que Tony est le chouchou de tout le monde.

Une fois l'amygdalectomie passée, l'évaluation et les décisions scolaires réglées, nous jugeâmes le moment venu de nous accorder une petite fête. Rich et moi y pensions depuis notre seconde lune de miel, mais j'en rêvais depuis beaucoup plus longtemps. Depuis que j'étais une petite fille qui jouait avec ses poupées, l'image parentale s'était confondue pour moi avec la vision d'emmener mes enfants à Disneyland. Je me rappelais quand j'étais assise sur les genoux de ma mère lors des circuits comme celui des « Pirates des Caraïbes », et j'avais toujours voulu jouer le rôle de la mère un jour dans cette scène. Je voulais courir en tenant par la main mes enfants pour essayer d'apercevoir Donald et Mickey. J'avais eu le cœur brisé de devoir abandonner ce rêve, en bonne partie parce qu'il était la preuve d'une perte énorme.

La simple évocation de Disneyland pouvait me faire monter les larmes aux yeux ou me faire grincer des dents. Ma rage s'était cristallisée quand j'avais compris qu'il serait peut-être impossible d'y emmener Renée seule pour son cinquième anniversaire, simplement parce que personne de sensé n'accepterait jamais de garder Tony. La seule solution pour qu'elle connaisse Disneyland à cette occasion était qu'un seul de ses parents l'y accompagne, tandis que Tony resterait avec l'autre. J'affirmais à Rich que j'emmènerais Renée à Disneyland pour son cinquième anniversaire, même si c'était la dernière chose que je devais faire de ma vie.

Mais le rêve qui était mort venait de ressusciter! Quand il eut cinq ans, Tony n'était plus sujet depuis longtemps à ses crises et il adorait voyager, tant que nous emportions son bonnet de ski et mon vieux stéthoscope. Il connaissait assez Mickey et Donald pour être ravi à la perspective d'aller visiter leur royaume. Le voyage était redevenu possible.

Nous fîmes nos valises et prîmes l'avion pour le sud de la Californie, trois ans après ce jour où on nous avait annoncé que jamais Tony ne se comporterait comme un enfant normal. En l'observant pendant ces quatre jours de vacances, personne n'aurait pu le juger autrement que comme un enfant normal. Il courait d'attraction en attraction, en s'écriant :

— On peut essayer celle-là ? Allez, Papa, s'il te plaît !

Comme n'importe quel autre enfant.

Il fut émerveillé par la musique durant le circuit du « Monde miniature », et un peu effrayé pendant le circuit des « Pirates des Caraïbes ». Comme n'importe quel autre enfant.

Mais sa rencontre avec Donald Duck et Mickey Mouse fut sans conteste le moment le plus intense de sa visite à Disneyland. Il les embrassa tous les deux sans hésiter, en disant :

— Bonjour ! Je m'appelle Tony.

Comme tant d'autres enfants.

Rich et moi étions très conscients de vivre un rêve devenu réalité. Dans les bras l'un de l'autre, nous regardions nos enfants sourire dans les « Tasses-de-thé tournantes », et nous souhaitions que jamais ce moment ne prenne fin.

Mais Renée n'avait pas l'intention de nous laisser oublier qu'elle était un peu plus qu'une enfant comme les autres. Renée était le professeur attitré de Tony. Souvent elle marquait une pause dans ses amusements pour expliquer une chose ou une autre à son frère, qu'il ait ou non besoin de cette explication. Lorsqu'un circuit le rendait nerveux, elle se penchait vers lui, touchait son bras et disait d'un ton rassurant :

— Tout va bien, Tony. Ce n'est qu'un circuit pour rire.

Lorsque nous allâmes au Sea World à San Diego, elle se trouva dans son élément, elle qui avait toujours été fascinée par la faune des océans. Et pendant la démonstration des phoques, elle avait du mal à contenir sa surexcitation.

Rich et moi étions derrière eux et regardions Tony et Renée qui trépignaient de joie et d'enthousiasme en riant et en jetant des poissons aux phoques. Mais soudain Renée cessa de s'agiter, comme si elle venait de se rappeler qu'elle devait garder une conduite digne. Elle se tourna vers Tony et, d'un ton qui me rappela plus celui d'un guide touristique que celui d'une petite fille, elle lui dit :

— Tony, ce sont des phoques. Les phoques sont comme les ours et les poissons. Ils ne portent pas de vêtements.

Tony acquiesça gravement, appréciant à leur juste valeur ces sages paroles.

CHAPITRE 14

Cet été-là Tony avait cinq ans et demi, et il avait subi des changements physiques aussi importants que l'étaient ses changements mentaux. Il avait grandi de sept centimètres en six mois sans grossir du tout. Ses genoux potelés étaient devenus osseux, et lorsqu'il était torse nu on voyait le dessin de ses côtes pour la première fois de son existence. Même son double menton avait disparu. Cette métamorphose fut si brusque que je l'emmenai chez notre nouveau pédiatre pour en avoir le cœur net.

— Il a l'air d'avoir le cancer, soufflai-je au praticien.

Le Dr Michaels éclata de rire.

— Mais non, il n'a pas l'air d'avoir le cancer. Il a l'air d'un garçon de cinq ans qui sera aussi mince que ses parents.

Et il n'eut aucune difficulté à me démontrer qu'il était dans le vrai. Il lui suffit pour cela de comparer le poids et la taille de Tony à une courbe moyenne de croissance pour me prouver que Tony était exactement dans l'état qui convenait à son âge, en pleine métamorphose entre son corps de bébé et celui d'un jeune garçon. Je dus admettre que m'inquiéter pour Tony était une habitude difficile à perdre.

Nous étions tous quatre tellement normaux, à présent, que nous offrions l'image de la famille américaine ordinaire. Nous reprîmes même le loisir typiquement américain du camping, loisir que Rich et moi appréciions tant avant la naissance des enfants. Nous fîmes l'achat d'une tente plus grande et de deux petits sacs de couchage supplémentaires, et nous apprîmes à Tony et Renée à ramasser du bois pour le feu. Ils s'aventurèrent dans la nature comme un couple de touristes, poussant des exclamations de dégoût devant tous les insectes et la poussière, mais très vite ils adorèrent ces journées de plein air.

Par un jour particulièrement chaud de l'été, nous décidâmes de partir pour un endroit un peu plus élevé que nous connaissions bien, afin de profiter de nuits moins étouffantes. La voiture fut convenablement chargée de notre matériel de camping. Jusqu'à midi, Tony et Renée avaient une activité extérieure de jeux avec leur classe. Nous les prîmes à la sortie et notre quatuor mit directement le cap sur les montagnes. Durant l'ascension, Renée s'assoupit, tandis que Tony jouait avec un vaporisateur vide de Windex.

Une fois atteint notre coin préféré dans les montagnes, je déchargeai le matériel de camping avec Rich pendant que les enfants couraient vers le torrent qu'ils adoraient. Pour être tout à fait exact, Renée y courut, tandis que Tony la suivait en marchant.

J'étais occupée à monter la tente avec Rich quand nous entendîmes un cri venant du torrent. Je reconnus la voix de Tony et me précipitai vers les enfants.

Quand j'arrivai sur les lieux il se tenait là, à hurler, mains levées. Il ne semblait pas souffrir d'une chute, et rien alentour ne paraissait l'avoir blessé.

— Que s'est-il passé, Tony? lui demandai-je. Qu'y a-t-il?

Pour toute réponse il continua de crier.

Rich et Renée nous avaient rejoints et lui posaient une multitude de questions raisonnables :

— Tu t'es fait piquer par un insecte? s'enquit Renée.

Mais personne n'obtenait de réponse, et les hurlements de Tony ne baissaient pas d'intensité. Jusqu'à ce que Renée ramasse le vaporisateur de Windex en plastique et le lui tende. Il cessa de crier aussi brusquement qu'il avait commencé. Il prit la direction des bois en aspergeant l'air d'eau imaginaire, comme s'il la voyait.

— Laisse-moi la remplir, Tony, proposa Rich.

Mais Tony se remit à hurler tandis que son père remplissait la bouteille de Windex au torrent, puis se calma de nouveau dès qu'il récupéra la bouteille. Il repartit alors en regardant les jets d'eaux qu'il distribuait devant lui, en l'air.

— C'est étrange, murmurai-je, interdite. Il hurlait simplement parce qu'il avait laissé tomber ce satané pistolet à eau?

— Ça m'en a tout l'air.

Quelques minutes plus tard le hurlement de Tony nous parvint de nouveau, des bois où il s'était enfoncé. Cette fois son pistolet improvisé à eau était vide.

— Tony, arrête, lui commandai-je d'un ton ferme. Si tu veux qu'on remplisse le réservoir de ton vaporisateur, demande-le. Je ne veux plus de ce vacarme.

Il ne parut même pas entendre mes paroles et ne cessa de hurler que lorsque la bouteille fut emplie de nouveau.

Je le suivis tandis qu'il marchait au hasard.

— Parle-moi, Tony.

Mais il continuait d'errer en regardant le mince jet d'eau. Je me plaçai devant lui et lui pris le menton entre mes mains pour l'obliger à me faire face.

— Qu'est-ce qui ne va pas, Tony? lui demandai-je alors qu'il tentait de se dégager en tournant la tête pour voir son précieux vaporisateur. Il me poussa en reculant et reprit son étrange comportement. Un comportement d'autostimulation...

Rich et moi faisions de notre mieux pour ne pas paniquer devant ce que nous observions. C'était la première fois en deux ans que nous voyions Tony se renfermer ainsi. Et cela faisait maintenant une pleine année qu'il avait cessé de s'autostimuler. Ses hurlements rappelaient une très mauvaise période de notre existence. Mais nous ne pouvions douter : cette période était revenue.

— Tony est fou aujourd'hui, me dit Renée.

— Il est fatigué, lui répondis-je en souhaitant qu'elle se contente de cette explication.

— C'est le trajet en voiture qui l'a désorienté, ajouta Rich.

« Si seulement c'était vrai », pensai-je.

Mais lorsque vint le moment du repas il n'était plus possible d'ignorer l'évidence. Nous ne pouvions même pas suffisamment communiquer avec Tony pour le faire s'asseoir et manger. Nous mangeâmes donc tous trois, nous levant à tour de rôle pour courir après lui quand il s'éloignait trop de notre campement à la suite du jet d'eau de son vaporisateur. L'ancien Tony était de retour.

— Renée, est-ce que vous vous êtes bien amusés aujourd'hui à l'école, avec Tony? m'enquis-je, cherchant des raisons à cette rechute dramatique.

— Oui, nous avons joué au papa et à la maman avec Daniel.

— Comment était-il quand tu es allé le chercher à l'école, Rich ? demandai-je. Il avait l'air content ? Il a couru vers toi comme d'habitude ?

— Tout était normal. Il a couru vers moi et m'a embrassé en disant « Bonjour, Papa ».

— Et dans la voiture il était calme, soliloquai-je.

— Attends une minute, dit soudain Rich. L'éducatrice a dit qu'elle lui avait donné du lait avec son en-cas. Elle avait oublié que nous ne lui donnons jamais de lait. Il en a bu deux boîtes.

Je poussai une exclamation horrifiée.

— Oh, mon Dieu ! C'est le lait qui aurait eu cet effet sur lui ? — J'avais du mal à le croire — Non, il doit y avoir une autre raison...

Aussi invraisemblable que cela puisse paraître, je me pris à souhaiter que le lait fût vraiment responsable de la régression brutale de Tony. Si c'était le cas, les effets se dissiperaient bientôt. Mais si le lait n'était pas la cause de son état... Si celui-ci ne disparaissait pas... L'éventualité que nous ayons récupéré notre fils pour le perdre de nouveau était trop douloureuse pour que j'accepte de seulement l'envisager. Il ne pouvait s'agir que du lait qu'il avait bu.

Tony resta éveillé à se balancer et à faire claquer sa langue jusqu'à deux heures du matin. Rich et moi le surveillions avec angoisse. L'aube arriva trop vite.

— Bonjour, Tony, dis-je, attendant un indice de son état.

— Bonjour, M'man, répondit-il.

Rich et moi poussâmes un soupir de soulagement en chœur.

La signification de cet événement commença à

m'apparaître alors que je faisais une omelette sur le feu de camp.

— C'était le lait de vache depuis le début, Rich, énonçai-je. Pas seulement hier, mais depuis le premier jour.

— Impossible, contra-t-il. Tu l'as nourri au sein.

— Mais j'ai bu du lait de vache pendant la période où je le nourrissais au sein, insistai-je. Tu te souviens ? Quand nous avons pensé qu'il était sujet aux coliques nous avons éliminé de mon alimentation le chocolat, les broccolis et un tas d'autres choses, mais pas le lait de vache. Ensuite, à six mois, je l'ai sevré avec du lait de vache. Quel âge avait-il quand son état s'est amélioré ?

— Deux ans et demi.

— Et quand avons-nous remplacé dans son alimentation le lait de vache par du lait de soja ? enchaînai-je, en manière de démonstration.

— A la même époque, oui...

La révélation était tellement brutale qu'il nous fallut un temps avant de l'accepter. Le passé s'en trouvait remodelé. Elle éclairait d'une lumière inédite certaines énigmes restées sans réponse. Et elle déplaçait les responsabilités du mal comme le crédit de sa guérison.

Jusqu'à ce séjour de camping, j'avais attribué à l'influence de Renée la majeure partie du crédit dans la transformation remarquable de Tony, et le Dr Wolonsky partageait cette opinion. Je m'octroyais une partie de la réussite, puisque j'avais le bon sens de laisser Renée agir avec son frère comme elle le faisait tandis que je me concentrais sur l'étude de l'autisme. J'avais observé que le lait de vache aggravait son état, comme le sucre peut le faire pour des enfants hyperactifs, mais je n'aurais jamais pensé que c'était là la cause première.

A présent je me rendais compte que Tony avait développé son allergie au lait de vache pendant la première semaine suivant sa naissance. Il faut que le corps soit exposé à une substance pour qu'il développe des anticorps contre cette substance, lesquels déclenchent la réaction allergique dès que le corps entre de nouveau en contact avec cette substance.

Tony fut en contact avec le lait de vache la première fois que ses composants passèrent dans mon système sanguin et parvinrent à mes glandes mammaires.

Il me fut — et il m'est toujours — très douloureux de comprendre que j'avais été à la source de son problème, alors même que j'essayais de me comporter en mère modèle en nourrissant mon bébé de la façon la plus naturelle. Si Tony avait été nourri au biberon et avait crié et pleuré autant, on aurait essayé une formule à base de lait de soja après un mois. Et il aurait pris un bon départ, comme n'importe quel autre bébé...

Pendant les mois d'allaitement au sein ou de biberons à base de lait de vache, Tony avait été épouvantable, et pourtant il avait aussi eu des périodes où il était adorable. Il lui était arrivé de se montrer éveillé, plein de vitalité, affectueux parfois. Rétrospectivement, je me demande si ces jours de répit ne correspondaient pas à des moments où nous manquions de lait. Je me souvins de la culpabilité que j'éprouvais lorsque je donnais des jus de fruits à Tony au lieu de lait, lorsque j'attendais mon salaire. A présent je me culpabilise de tout le reste.

Je ne crois pas que ce soit injuste d'estimer que Renée n'a pas guéri le comportement autiste de Tony. Si s'était le cas, je me verrais obligée d'offrir de la prêter à d'autres parents d'enfants présumés autistes. Tony était capable de répondre aux sollicitations de Renée à un niveau très faible jusqu'à ce que je cesse de lui donner du lait de vache. C'est à partir de ce changement que leur relation commença à véritablement s'épanouir. Mais quand son intelligence et sa personnalité émergèrent enfin, il avait perdu deux ans et demi de son enfance. Renée les lui rendit. Elle le guida dans les différents stades de croissance à mesure qu'elle les traversait elle-même. Elle lui donna une raison de persévérer dans ses efforts, d'apprendre, de grandir. Son amour était cette raison. Son exemple traçait la voie à suivre.

Mais le changement qui s'amorça alors qu'il avait deux ans et demi n'était pas soudain et dramatique. Il n'avait certainement rien de comparable avec la rechute qui eut lieu alors que nous campions. L'effet du lait de vache, cumulé durant deux ans et demi, fut pénible et long à inverser. Une partie du comportement de Tony s'était enraciné en lui. Et je crois que certains dommages qui subsistent encore maintenant avaient affecté son cerveau.

Aider Tony à apprendre de nouveaux comportements et à compenser les séquelles constitua le travail mis en œuvre dans les deux années et demi qui suivirent. Les stratégies du Dr Delacato, l'affection des éducateurs préscolaires pour Tony ainsi que l'amour de sa famille furent tous nécessaires au rétablissement de Tony. Je ne peux croire que le simple fait de ne plus lui donner de lait de vache aurait suffi à faire de Tony ce qu'il est aujourd'hui.

Dès que j'en eus l'occasion je relatai l'incident survenu alors que nous campions et la façon dont je l'avais analysé à notre pédiatre. Tandis que je parlais, je vis les commissures de ses lèvres se relever légèrement, comme s'il luttait contre un sourire amusé.

— A l'évidence, le lait lui donne mal au ventre, dit-il d'un ton condescendant. Et c'est quand il souffre de maux de ventre qu'il se renferme sur lui-même.

— Non, rétorquai-je. Quand il a mal au ventre, il m'en parle. Il a cinq ans et demi. Je vous l'ai dit, il retombait dans l'autisme.

Le Dr Michaels, qui ne s'occupait que depuis peu de notre famille, pensait que Tony n'avait jamais souffert d'autisme.

— L'autisme est incurable, alors comment aurait-il pu en guérir ? m'avait-il déjà dit.

A présent il restait pour le moins sceptique quand je lui affirmais que Tony était retombé temporairement dans l'autisme. Dans son hit-parade personnel des mères dérangées, je suis certaine d'être classée dans les dix premières !

Plus tard je parlai de l'incident du camping à un allergologue que je connaissais par mon travail. Son visage s'empourpra pendant mon résumé, et il s'exclama :

— Une allergie cérébrale ! Il aurait une allergie cérébrale !

Une fois un peu calmé, il continua :

— Certaines personnes estiment possible qu'une allergie puisse affecter le cerveau, tout comme les bronches le sont par l'asthme et les sinus par le rhume des foins. Elles pensent que cela peut entraîner un comportement simulant le retard mental, l'autisme ou l'hyperactivité...

Sa conclusion me donna l'explication de sa rougeur subite :

— Pour ma part, j'ai du mal à croire aux allergies cérébrales...

— Et pourquoi donc ?

— Parce que je n'en ai jamais vu aucun cas. S'ils existent, ils sont rarissimes. En fait, votre fils est probablement la seule personne dans tout cet Etat à souffrir d'allergie cérébrale, si toutefois c'est le cas.

— Il n'y aurait donc qu'une cinquantaine de cas d'allergies cérébrales dans tous les Etats-Unis ? m'étonnai-je. C'est bien ce que vous voulez dire ?

Il acquiesça.

— Je me demande si toutes les mères concernées savent qu'il ne s'agit que d'une allergie...

Il ne put me répondre, mais il me conseilla de m'adresser à un certain Dr Charles Rapp de Denver, car il était peut-être une des rares personnes aux Etats-Unis susceptible de croire mon histoire. Je ne pus localiser aucun Dr Charles Rapp, et j'appris plus tard qu'il s'était trompé et qu'il voulait parler du Dr Doris Rapp de Buffalo.

La surprise du Dr Wolonsky fut égale à la mienne lorsque je lui narrai l'épisode de la partie de camping. Mais lui me crut. Il me connaissait trop bien pour mettre mes propos en doute.

— Avez-vous jamais conseillé à des parents d'arrêter de donner certains aliments à leurs enfants pour observer d'éventuelles modifications de leur état ? lui demandai-je. Prenez-vous en compte l'éventualité d'allergies alimentaires ou autres avant de poser votre diagnostic ?

— Certainement pas quand il s'agit d'autisme, répondit-il. Mais je vais le faire à partir de maintenant.

En dépit de l'aspect très douloureux de cette expérience, je ne me considère pas comme une fanatique de la nourriture naturelle. Je suis restée une mère qui donne plutôt des gâteaux Oreo à ses enfants que des branches de céleri pour leur goûter. Je leur cuisine des repas nourrissants, mais je crois toujours que les en-cas et les desserts doivent être un plaisir. Renée boit toujours du lait, sans que ce liquide ait d'effet nocif sur elle.

Je veux dire par ces exemples que ce qui est valable pour Tony ne l'est pas pour tous les enfants, même autistes. Mais si le même principe s'applique à un autre enfant, ses parents, ses médecins et ses éducateurs n'en sont peut-être pas conscients.

Le concept d'allergie cérébrale n'a pas encore été officiellement reconnu par les milieux spécialisés. On ne conseille pas aux parents d'enfants perturbés de surveiller une possible relation entre leur comportement et leur régime alimentaire. Il ne leur est même pas suggéré de cesser de donner tel ou tel aliment à l'enfant pendant une semaine, pour voir si cette carence a des répercussions.

Les allergies cérébrales ne sont pas reconnues simplement parce qu'il manque une preuve scientifique pour étayer leur existence. L'histoire de Tony n'est pas cette preuve scientifique. On la range dans la catégorie « preuves anecdotiques » et elle ne peut être considérée valide tant qu'il n'y a pas répétition prépondérante de ses caractéristiques. Elle deviendrait peut-être preuve scientifique si Tony venait à mourir et qu'on étudiait son cerveau. Mais il est évident que cette sorte de preuve sera difficile à obtenir ! Même les preuves anecdotiques seront difficiles à accumuler si les parents ne peuvent découvrir leur véritable nature qu'accidentellement, comme ce fut notre cas.

Si ce livre n'a pas d'autre effet, j'espère qu'il montrera à quelques professionnels combien la vie avec un enfant autiste est difficile et combien il est facile d'écarter la possibilité d'allergie cérébrale par quelques expériences, avant de condamner une famille à ce destin. Au risque de paraître banale, je dirai que si ce livre peut aider à épargner un enfant, sa publication n'aura pas été inutile.

CHAPITRE 15

L'année qui suivit se déroula sans problème dans la famille Randazzo. Je n'aurais jamais cru vivre cela.

Même notre remariage se passa sans nuage. Nous avions tout arrangé pour être remariés le jour du huitième anniversaire de notre union. Nous prîmes chacun une journée de congé et préparâmes une petite fête pour célébrer l'événement.

Arrivés au palais de justice, on nous apprit qu'une erreur avait été commise. Le juge avait oublié un rendez-vous pris auparavant et il n'était malheureusement pas disponible pour la cérémonie.

Rich ne put contenir son exaspération.

— Mais nous avons une fête juste après! Qu'allons-nous dire à tous nos invités?

— Nous allons leur mentir, voilà tout.

Et c'est ce que nous aurions fait si quelqu'un avait posé la question. Mais tout le monde supposait que le mariage avait bien eu lieu, et notre petite fête fut très réussie. Le lendemain Rich et moi nous précipitâmes au palais de justice pendant l'heure du déjeuner et prononçâmes le « Oui » du mariage pour la seconde fois.

Les paroles d'au revoir du juge, qu'il avait sans doute prononcées des centaines de fois déjà, étaient « Bonne chance, et souvenez-vous que je ne fais pas de deuxième séance. »

— C'est pourtant ce que vous venez de faire!

Et sans attendre sa réponse nous retournâmes à nos emplois respectifs.

Une autre date remarquable dans l'histoire familiale fut celle où nous signâmes les papiers entérinant l'acquisition de notre nouvelle maison. Nous avions tiré une telle misère de notre ancien foyer de South Valley que nous ne songions ni l'un ni l'autre pouvoir un jour nous offrir de nouveau le luxe d'une maison. Nous ne regardions même pas celles qui étaient en vente.

Mais notre chance avait tourné dans le bon sens, et nous tombâmes par hasard sur une ravissante maison située dans un quartier calme...

— Ça ne coûte rien de se renseigner, me dit Rich en composant le numéro de téléphone relevé sur le panneau « A VENDRE ».

Il s'avéra que ladite maison n'était sur le marché que depuis le matin et que ses propriétaires étaient pressés de vendre. Six semaines plus tard nous y installions les water-beds, le juke-box et tout le reste de nos affaires. Nous n'avons jamais regretté cette décision, et j'aime à penser que nos petit-enfants viendront nous rendre visite à cette même adresse.

Tony et Renée s'adaptèrent sans aucun problème à ces changements, d'autant qu'ils découvrirent beaucoup d'enfants dans le voisinage. Le pâté de maisons compte à lui seul neuf camarades de jeux pour eux. Ce fut un moment très agréable, cette première fois où nous les regardâmes aller main dans la main sonner chez un voisin pour demander :

— Est-ce que vos enfants peuvent venir jouer avec nous ?

Nous étions heureux de voir que nos bébés grandissaient.

Nous résolûmes de ne rien divulguer de notre passé compliqué à notre nouveau voisinage, de crainte qu'ils ne traitent Tony différemment. Pour autrui, mieux valait qu'il reste ce petit garçon de cinq ans qui fonçait sur son vélo et adorait grimper aux arbres. Il se fit des amis à sa façon douce et timide. Sa dernière année en classe préscolaire fut également la première où il se fit des amis parmi ses camarades. Il invitait ses nouveaux amis à la maison, jouait avec eux le plus normalement du monde et les aidait dans leurs calculs. Il se mit à me raconter les événements de sa journée quand nous rentrions ensemble de l'école, et c'était quelque chose qu'il n'avait jamais fait auparavant.

— Qu'as-tu fait aujourd'hui ? lui demandais-je.

— Oh, j'ai joué avec mes copains et j'ai fait des bulles de savon.

— Lesquels de tes copains ?

— Tous !

Il eut quelques problèmes pour se souvenir de leurs noms, jusqu'à ce qu'il soit invité à déjeuner chez l'un ou l'autre. Je le laissai aller chez ses camarades, mais je redoutais durant toute son absence que quelque particularité de sa personne ne resurgisse et qu'on le trouve bizarre. Cela n'arriva jamais. Chaque fois qu'il revenait à la maison, il me racontait combien il s'était amusé chez son camarade, et il se souvint des différents noms de ses connaissances à partir de cette époque.

Ses professeurs nous certifièrent qu'il était au même niveau que les autres, si bien que nous décidâmes de ne pas lui faire subir d'évaluation au Centre pour ses six ans, avec l'idée qu'il n'y retournerait jamais.

Néanmoins il restait l'inévitable obstacle des tests d'entrée en maternelle que devaient passer les deux enfants avant de pouvoir être inscrits à l'école publique. Ils consistaient en exercices pour mesurer l'ouïe, la vue et la coordination de chaque enfant. Nous adoptâmes envers l'école la même attitude qu'avec le voisinage. Ce qu'ils ne savaient pas ne les inquiéterait pas.

Renée passa les tests haut la main, et Tony sortit de la salle d'examen avec deux feuillets roses. Il devrait faire contrôler sa vision et son ouïe par des spécialistes avant de pouvoir entrer à l'école. Ses résultats aux deux séries de tests étaient médiocres.

Je ne m'en faisais pas trop. Ses problèmes d'ouïe n'étaient pas pour moi une révélation, quant aux problèmes visuels, ils sont héréditaires : Rich comme moi portons des verres correcteurs. Avant le rendez-vous chez l'ophtalmologiste, j'avais déjà choisi des montures pour Tony. Pour plus de sûreté, je décidai de consulter deux spécialistes dans chaque domaine.

A quatre reprises, durant cet été précédant son entrée en maternelle, un médecin en blouse blanche nous annonça de très mauvaises nouvelles d'une voix attristée :

— Son cerveau est endommagé. Les messages visuels et auditifs sont brouillés, et c'est un problème impossible à corriger. Il devra entrer dans une classe spécialisée.

Nous étions très ennuyés. Bien sûr, une classe spéciale n'était pas la pire chose qui pût arriver à Tony. Si c'était absolument nécessaire, nous céderions évidemment à cet impératif. Mais c'était un peu comme mener une course depuis le début pour être dépassé dans la dernière ligne droite et finalement perdre. Nous avions été tellement sûrs que nos problèmes faisaient partie du passé, et nous nous retrouvions de nouveau devant un spécialiste qui nous déclarait que le cerveau de notre Tony était irrémédiablement endommagé. Il se rendrait à l'école dans un petit bus jaune au lieu d'y aller avec le groupe de ses voisins. Il serait toujours différent, à part. Je me mis à chercher un établissement spécialisé une fois encore.

Et une fois de plus je changeai d'avis.

— Et puis non ! Bon sang, Rich, il n'ira pas dans un établissement spécialisé tant qu'il ne sera pas prouvé qu'il en a absolument besoin. Il a mérité de courir d'abord sa chance dans une classe ordinaire. S'il s'y sent inférieur, s'il ne peut pas suivre, alors nous le changerons d'établissement. Mais pas avant d'avoir essayé.

Richard m'approuva.

— C'est exactement ce que je te dis depuis une semaine. Les éducateurs du préscolaire estiment qu'il se débrouille très bien. Donc soit il n'est pas aussi mauvais que le font croire les tests, soit il compense mieux qu'on ne le croit possible.

Nous nous attendions à devoir nous battre pour persuader le directeur de l'école de garder Tony dans une maternelle normale en dépit de l'avis des médecins. Mais, assez curieusement, personne ne demanda jamais à consulter les comptes rendus de ces médecins. Nous fîmes donc comme si de rien n'était et plaçâmes Tony et Renée dans deux classes de maternelle qui étaient séparées par un simple couloir. Celle de Tony était plus structurée et d'un niveau un peu plus bas que celle de Renée, où l'on privilégiait l'expression et la création. J'avais l'impression qu'ils se trouvaient exactement là où il fallait, mais le temps seul le dirait.

En prenant bien soin d'afficher une attitude de

mère-comme-les-autres, je conduisais mes enfants à l'école chaque matin, et je venais les rechercher à midi sans questionner les éducateurs de Tony sur son comportement. Une réunion entre parents d'élèves et enseignants était prévue six semaines après le début de l'année scolaire, et il serait temps alors d'apprendre la vérité. En attendant, je surveillais Tony, à l'affût du moindre indice pouvant dévoiler comment se déroulait l'expérience.

Tous les signes me paraissaient positifs. Tony se précipitait joyeusement dans l'école tous les matins, et à midi il ressortait d'un pas tout aussi gai. Tout comme Renée, sur le chemin de la maison il m'expliquait avec enthousiasme les projets qu'ils entreprenaient en classe et ses jeux dans la cour de récréation. Pour moi, la seule chose qui le distinguait des autres enfants était son intelligence. Alors que ses camarades arrivaient à l'école avec sous le bras leur peluche préférée ou le dernier camion offert pour les montrer, Tony insistait pour amener en classe sa mappemonde et sa lampe de poche afin d'expliquer le mouvement apparent du soleil par rapport à la terre.

Mais c'est la réunion entre parents et enseignants qui serait décisive. Là je saurais s'il s'intégrait vraiment ou non. Je savais que des inspecteurs scolaires faisaient le tour des maternelles pour observer les enfants à problèmes, et qu'en conséquence s'il l'on me conseillait de placer Tony ailleurs cela ne serait pas l'opinion d'une seule personne. Et si tel était le verdict, je ne le contesterais pas.

Ma nervosité croissait à mesure qu'approchait la date de la réunion. Je commençais à redouter le moment où nous nous retrouverions autour de la table ronde, ce moment où je risquais un camouflet et où je devrais garder une contenance détachée. Rich avait décidé de m'accompagner, et nous partagions la même appréhension.

La veille de la réunion, j'eus l'occasion d'avoir un avis sur l'ambiance probable de l'entrevue lorsque je vins chercher les enfants à l'école. Je ne pus résister à la tentation. L'assistante de l'institutrice resta un moment seule, à tenir la porte pour laisser sortir les gamins. Je m'approchai d'elle.

— Mrs. Piscotty, lui dis-je, comment se débrouille Tony? Je veux dire, il a l'air de bien s'adapter?

— Tony? répéta-t-elle avec un regard étonné. Il se débrouille très bien. J'aimerais que nous ayons une classe qui ne soit composée que d'élèves comme lui! Pourquoi cette question?

— Juste comme ça, pour savoir.

Je retournai en hâte jusqu'à la voiture, avec le sentiment d'être un peu ridicule car j'étais consciente du sourire idiot de béatitude qui avait envahi mon visage, mais je n'y pouvais rien. Dans mon crâne ne carillonnaient plus des cloches sinistres mais une phrase : « J'aimerais que nous ayons une classe qui ne soit composée que d'élèves comme lui ! » se répétait à l'infini, mêlée à une pensée triomphale : « Nous avons réussi ! ».

Les enfants m'attendaient déjà devant la voiture.

— Tu veux voir le dessin que j'ai fait, Maman?

— J'ai appris une chanson, M'man. Tu veux l'entendre?

— Pourquoi tu pleures, Maman?

— Je ne sais pas, ma chérie. De joie, sûrement; parce que je vous adore tous les deux.

— C'est idiot de pleurer pour ça, fit Tony avec un haussement d'épaules. Alors, M'man, tu veux que je te chante ma chanson?

EPILOGUE

Deux ans ont passé depuis l'entrée de Tony et de Renée à l'école primaire. La maternelle et le cours préparatoire se sont très bien passés pour les deux. Ils adorent lire l'un et l'autre, ils ont chacun de nombreux amis personnels et développent des goûts individuels.

Tony est toujours doué pour les mathématiques et les sciences. Il me pose tant de questions sur des sujets tels que les nombres négatifs, les molécules et les atomes, d'où vient la pluie, etc., qu'il m'a poussée à consulter des livres plus d'une fois. Avec ses amis il aime à faire du vélo, à monter dans les arbres et à écrire à la craie des grossièretés sur le trottoir, comme n'importe quel gamin de son âge. Il se montre toujours réservé et quelque peu mal à l'aise quand il y a du monde, mais lorsqu'il se fait des amis ce sont de très bons amis, avec qui il s'amuse, rit et se bagarre sans retenue particulière. Lui et son meilleur ami, Steve, marchent en se tenant par l'épaule et se disent « Je t'aime ». Régulièrement je demande aux enseignants de Tony s'ils ont remarqué une quelconque anomalie dans son comportement, au point que l'un d'eux a fini par m'assurer que Tony était un enfant parfaitement normal... dont la mère se montrait un peu trop nerveuse.

Renée, qui a montré une réelle prédisposition pour enseigner et materner, ne se destine ni à l'un ni à l'autre. L'enseignement n'est pas une carrière assez prestigieuse à son goût, et elle ne veut pas avoir de bébés parce qu'ils « boivent du lait et dégobillent du fromage blanc ». Ses dessins ornent les murs de sa classe, elle compose même des chansons d'amour très simples au piano, mais sa grande passion demeure la danse. Avec ses amies elle crée de petits numéros de danse qu'elles présentent en tenue au voisinage. Elle a déjà accompli plus de choses dans sa courte vie que la plupart des gens au moment de leur retraite, et je suis certaine que plus tard elle brillera dans la carrière qu'elle se choisira.

Bien qu'ils aient des amis indépendamment l'un de l'autre, Tony et Renée sont restés très proches. Renée se montre peut-être encore un peu trop protectrice envers son frère. J'ai récemment appris qu'elle passait parfois voir l'institutrice de Tony pour savoir comment il se débrouillait en classe !

Rich et moi avons célébré notre dixième et notre deuxième anniversaires de mariage. Mais je considère que nous sommes unis depuis dix ans, avec une parenthèse de deux années d'errements... de part et d'autre. Nos existences sont peuplées de toutes ces choses que nous aimons, mais nous avons à présent bien plus encore : deux enfants que nous adorons et la certitude que notre mariage peut résister à tout.

Je me rends bien compte de la chance extrême qu'a eu notre famille. Sur les quelque cent mille enfants diagnostiqués comme autistes aux Etats-Unis, seule une poignée guérit totalement, à laquelle on peut ajouter une douzaine qui réussissent à fonctionner à peu près normalement malgré leurs symptômes. Tony est l'un de ces très rares enfants, simplement parce que nous avons découvert accidentellement la cause de son comportement autistique dans nos recherches empiriques pour améliorer notre situation. Je sais que nous n'avons pas trouvé de remède à l'autisme, mais je pense sincèrement que nous avons trouvé une solution applicable à un petit sous-groupe de prétendus autistes.

Par mes lectures j'ai appris que les chercheurs qui continuent à étudier ce qu'on appelle l'autisme infantile précoce estiment que cette définition regroupe une multitude d'états avec les mêmes symptômes et les mêmes comportements. Les allergies cérébrales — diagnostic correspondant mieux au cas de Tony que celui d'autisme — composent un de ces sous-groupes. De nombreuses études montrent qu'un autre sous-groupe important rassemble les enfants ayant une carence inhabituelle en vitamine B6. Plusieurs études scientifiques ont démontré que l'état de ces enfants s'améliore grâce à la vitamine B6. Des « preuves anecdotiques » tendraient à indiquer que certains enfants taxés d'autisme doivent leur état à un abus d'antibiotiques. Ces cas peuvent être traités par un régime approprié.

La médecine est sur le point d'identifier d'autres causes de comportement autiste, mais leur traitement n'apparaît pas évident. Néanmoins la connaissance est toujours préférable à l'ignorance, car c'est un pas vers la prévention, le traitement et la guérison.

Le cas le plus tragique dans ces sous-groupes est celui des enfants autistes dont la cause du mal ne sera peut-être jamais découverte. Certains spécialistes ont jugé que ce livre était injuste envers eux et leur famille parce qu'il leur laissait de faux espoirs. Ces parents essayeront un régime alternatif sans succès, puis ils devront affronter de nouveau la terrible réalité : jamais leur existence ne sera normale. Je sais la souffrance qu'ils peuvent ressentir. Mais il ne serait ni logique ni humain de laisser croire à *tous* les parents dont un enfant est déclaré autiste que cette condition est permanente, simplement parce que c'est le cas pour la plupart. C'est à peu près aussi logique que de laisser croire à *toutes* les femmes qui ont une grosseur au sein qu'elles souffrent d'un cancer : ce ne sera vrai que pour certaines. Ce n'est pas parce qu'on pratique une biopsie du sein qu'un médecin prescrira automatiquement une mastectomie. De même, pourquoi l'économie d'un régime procédant par élimination sous prétexte qu'il n'empêchera pas la majorité des enfants d'être placés en éducation spécialisée.

Les familles ont un droit d'accès légitime à toutes les sources d'information disponibles, or elles ne sont souvent informées qu'en partie, simplement parce que s'adressant à une branche médicale spécifique elles ne reçoivent que les réponses spécifiques que peut donner cette branche médicale. Les rares médecins qui ont envisagé des solutions extérieures à leur spécialisation sont la plupart du temps des individus qui ont eu de sérieux problèmes de santé dans leur famille. Un de ces praticiens m'expliqua qu'espérer une ouverture d'esprit de sa profession à des thèmes tels que la thérapie par les vitamines ou l'existence des allergies cérébrales est aussi improbable que d'espérer qu'un Démocrate soit ouvert aux idées d'un Républicain, ou vice versa. Je transmets cette analogie à tous ceux qui peuvent avoir affaire aux professions de la santé.

Un autre de ces trop rares médecins me dit que pour tirer le maximum des soins proposés il faut être capable de travailler avec et contre les médecins en même temps. En fait ils connaissent très bien leur domaine mais ils ne sont pas à votre place et ne comprennent pas forcément vos réactions. Ils n'ont pas votre instinct face à la situation, et ils n'ont pas la même motivation pour la changer. Prenez dans ce qu'ils vous disent ce qui est bon, et ensuite dites-vous « Au cas où ils se tromperaient, je vais creuser le sujet ». Essayez de devenir plus au fait de vos problèmes de santé que votre propre médecin, c'est un défi stimulant.

Il est bien évident que les recherches se poursuivent dans le domaine de l'autisme infantile précoce, mais elles ne sont pas assez développées. La recherche nécessite des fonds, lesquels proviennent de dons individuels ainsi que des collectes opérées par les différentes fondations. Le montant de ces fonds a un rapport direct avec l'impact dans le public de la cause à laquelle ils sont attribués. Que ce soit un mal qui frappe les enfants rend cette cause populaire, mais que ce soit un mal sans espoir de guérison la rend très impopulaire. Tony est la preuve vivante que l'autisme n'est pas sans espoir de guérison.

RÉFÉRENCES

« The Biology of Autistic Syndromes », par M. Colleman et C. Gillberg, Praeger, New York, 1985.

« Marital Stability Following the Birth of a Child with Spina Bifida », par B.J. Tew, K.M. Laurence, H. Payne & K. Rawnsley, publié dans le *British Journal of Psychiatry*, vol. 131, (1977).

« Bringing up Mother », par J. Segal & H. Yahreas, publié dans *Psychology Today*, novembre 1978.

« National Society for Autistic Children, Definition of the Syndrom of Autism », par E.R. Ritvo & B.J. Freeman, communiqué approuvé par le Board of Directors et le Professional Advisory Board, juillet 1977.

« Classrooms for the Autistic Child », par W. Sage, publié dans *Human Behavior*, mars 1975.

Achevé d'imprimer en septembre 1993
sur les presses de l'Imprimerie Bussière
à Saint-Amand (Cher)

POCKET - 12, avenue d'Italie - 75627 Paris Cedex 13
Tél. : 44-16-05-00

— N° d'imp. 2042. —
Dépôt légal : septembre 1993.

Imprimé en France